ENTREES

Entrées

délicieuses entrées chaudes et froides

rassemblées par
Annie Branche

Chantecler

INTRODUCTION

La préparation du repas quotidien est parfois un peu répétitive. C'est beaucoup plus gai si vous pouvez laisser libre cours à votre fantaisie et vous livrer à quelques expériences culinaires.

Il n'y a pas de bon petit repas sans entrée adéquate. Une entrée donne un air de fête à un repas. Elle le complète.

Elle n'est pas toujours nécessaire mais elle peut être faite simplement et en un rien de temps. Par exemple servir un plat de crudités ne demande pas en grande partie de préparation.

Dans ce livre nous nous sommes efforcés de donner des recettes qui conviennent pour des repas de fête - très simples. Nous n'avons pas omis des recettes qui conviennent aussi à ceux qui sont préoccupés par leur ligne.

Vous pensez qu'une entrée est quelque chose qui doit ouvrir l'appétit. Elle ne doit pas être grasse. Une entrée qui est grasse sera alors suivie d'un plat principal léger.

Les recettes de ce livre sont prévues pour 4 personnes.

Avertissements utiles:

Ayez soin de dresser une liste avec tout ce dont vous pensez avoir besoin pour votre repas. Le mieux est de faire toutes les préparations préalables la veille, ainsi que les courses, de veiller aux fleurs, bougies et serviettes qui s'harmonisent avec la couleur de vos nappes, services et couverts, de chambrer le vin, etc. Pensez que le résultat de votre dîner peut dépendre énormément des préparatifs.

Abréviations utilisées:

c.à s.: cuiller à soupe
c.à. d: cuiller à dessert
c.à c.: cuiller à café
kg: kilogramme
g: gramme
l: litre
dl: décilitre
cl: centilitre

Entrées froides

Melon au jambon

1 cavaillon bien frais
200 g de jambon de Par-
me ou d'Ardennes fine-
ment coupé
poivre noir du moulin

Poivrer le jambon et enrouler-le.
Couper le melon en tranches d'env. 3 cm et poser les rouleaux de jambon sur ces tranches.

Artichauts vinaigrette

4 artichauts
3 c.à s. de vinaigre de vin
persil et ciboulette hachés
10 c. d'huile
2 oeufs durs
poivre et sel
1 citron
1 gousse d'ail

Retirer les pédoncules et les feuilles inférieures des artichauts. Cou-per l'extrémité coriace des autres feuilles. Laver et sécher. Enlever un petit chapeau et le foin à l'aide d'une petite cuillère.
Mettre les artichauts à cuire pendant 20 à 30 mn dans beaucoup d'eau salée et citronnée (pas dans une casserole en aluminium). Laisser égoutter les feuilles tournées vers le bas.
Préparer une vinaigrette avec de l'huile, du vinaigre de vin, du poi-vre, du sel et l'ail pressé. Ajouter les jaunes d'oeufs très finement écrasés, une partie du blanc, le persil et la ciboulette.
Les artichauts peuvent être servis chauds ou froids.

Melon au saumon fumé

1 cavaillon bien frais
6 tranches de saumon fu-
mé

Couper le melon en tranches d'env. 3 cm et en retirer les pépins.
Disposer ces tranches sur une assiette et recouvrir de saumon fumé enroulé.

Avocats aux fruits de mer

2 avocats mûrs
80 g de crevettes
épluchées
100 g de crabe
décortiqué
100 g de champignons
4 scampi décortiqués
jus de citron, huile, poi-
vre et sel
6 c.à s. de mayonnaise
1 c.à s. de sherry

Couper les avocats en deux dans le sens de la longueur et en retirer le noyau.
Creuser les avocats jusqu'à 10 mm de la peau et les enduire de jus de citron, poivre et sel.
Couper la chair en petits morceaux et mélanger avec les champignons émincés, les crevettes et le crabe. Arroser le mélange de jus de ci-tron, huile, poivre et sel et laisser macérer le tout au frais.
Préparer une sauce avec la mayonnaise, la purée de tomates, le sherry, de l'aneth et la tomate concassée. Introduire la préparation aux fruits

1 c.à s. de purée de tomates
aneth
1 grosse tomate

de mer dans cette sauce et les avocats. Décorer d'aneth et de scampi. Servir bien frais avec des toasts et du beurre.

Cocktail de poulet

500 g de blancs de poulet cuits
laitue
5 c.à s. de mayonnaise
1 c.à s. de tomato ketchup
sel, poivre, jus de citron
1/2 gobelet de yaourt
2 cl de cognac
2 oeufs cuits durs
1 petite boîte d'asperges en branches
1 petite boîte de champignons émincés.

Enlever la peau des blancs de poulet et les couper en petits morceaux. Préparer une sauce avec la mayonnaise, le yaourt, le ketchup, du jus de citron, du poivre, du sel et du cognac.
Laisser égoutter les asperges et les champignons et couper les asperges en morceaux. Introduire ces deux ingrédients et le poulet et les oeufs cuits dur coupés en morceaux dans la sauce.
Mettre à rafraîchir pendant au moins 1 h. au frigo. Servir sur un lit de laitue, accompagné de toasts.

Salade niçoise

1 laitue
1 concombre
4 tomates
4 oeufs durs
1 petit bocal d'olives
1 gros oignon
sel, poivre, sucre, vinaigre, huile

Laver la laitue, nettoyer les concombres et les oignons et couper ces deux derniers ingrédients en rondelles ainsi que les oeufs durs et les tomates.
Laisser égoutter les olives.
Disposer tous ces ingrédients dans un grand saladier.
Assaisonner d'huile, de vinaigre, de poivre, de sel et d'un peu de sucre.
Accompagner de pain baguette.

Saumon, sauce Vincent

4 darnes de saumon d'env. 250 g
1/2 l de vin blanc
1/2 l d'eau
1 clou de girofle
1 feuille de laurier
2 petits oignons
2 tomates
persil, laitue
4 jaunes d'oeufs cuits durs
4 c.à s. de mayonnaise
1 c.à c. d'estragon

Couper les oignons en rondelles, et les mettre à cuire avec les épices dans l'eau et le vin.
Introduire le saumon dans la casserole et laisser cuire à feu doux pendant 20 mn. Laisser refroidir.
Ecraser les oeufs cuits durs, les incorporer à la mayonnaise avec l'estragon et le persil haché. Relever de jus de citron, poivre et sel.
Servir le saumon sur des feuilles de laitue et garnir du mélange.

Tomates aux crevettes

4 grosses tomates bien

Laver et sécher les tomates, en découper un chapeau. Creuser avec

Pamplemousses farcis, recette p. 13

fermes
200 g de crevettes grises
épluchées
4 c.à s. de mayonnaise
1 c.à s. de yaourt
1 trait de whisky ou de
cognac
jus de citron, poivre, sel
laitue

une petite cuillère et parsemer de poivre et de sel.
Préparer une sauce avec la mayonnaise, le yaourt, le jus de citron, le whisky ou le cognac.
Ajouter les crevettes à cette sauce et en remplir les tomates.
Laver les feuilles de laitue. En recouvrir un plat et disposer les tomates sur celles-ci.

Cocktail de crevettes

200 g crevettes
épluchées
3 c.à s. de mayonnaise
3 c.à s. de crème fraîche
1 c.à c. de cognac ou de
whisky
poivre de Cayenne
2 c.à c. de tomato
ketchup
1/2 c.à c. d'aneth
jus de citron
laitue

Mélanger la mayonnaise avec la crème battue en chantilly.
Y ajouter le cognac ou le whisky, l'aneth, le tomato ketchup et le poivre de Cayenne.
Relever de jus de citron.
Tapisser l'intérieur des coupes de quelques belles feuilles de laitue, répartir les crevettes sur celles-ci et napper de sauce. Avant de servir, garnir d'un peu de persil.

Oranges aux crevettes

4 oranges
400 g de crevettes
décortiquées
4 crevettes entières
0,2 l de crème
0,2 l de mayonnaise
2 c.à s. de tomato
ketchup
3 c.à s. de cognac ou de
whisky
sel et poivre
cresson de fontaine ou
feuilles de laitue

Couper le chapeau des oranges et les creuser.
Mélanger la pulpe des fruits avec la mayonnaise et la crème battue en chantilly. Relever de ketchup, cognac, sel et poivre.
Verser cette préparation sur les crevettes et remplir les oranges avec ce mélange.
Décorer avec les crevettes entières et disposer sur un lit de feuilles de laitue ou de cresson de fontaine.

Radis roses

1 botte de radis roses
sel
pain
beurre

Utiliser les radis les plus fermes. Couper les racines et les feuilles extérieures. Laisser un peu de la partie supérieure verte du légume.
Bien rincer à l'eau froide et laisser égoutter.
Servir avec sel, pain et beurre.

Céleri blanc

400 g de céleri blanc
vinaigrette

Utiliser les têtes de jeunes céleris très tendres.
Les laver, les laisser égoutter et les préparer avec une vinaigrette.
Ou bien gratter les parties inférieures les plus dures avant de couper le céleri dans le sens de la longueur et servir avec une vinaigrette.

Pamplemousses farcis

2 pamplemousses
1 petite boîte de pointes
d'asperges
1 petite boîte de
mandarines
100 g de crabe
1 petit pot d'oignons
blancs
2 c.à s. d'huile
sel, poivre, sucre

Couper les pamplemousses en deux, les vider de leur chair que l'on coupe en morceaux. Ajouter les oignons blancs, les pointes d'asperges, le crabe et les mandarines et mélanger délicatement le tout. Faire une sauce avec le vinaigre, le jus de citron, l'huile, le sel, le poivre et le sucre. Verser la sauce dans la salade et bien laisser mariner. Remplir les demi-pamplemousses du mélange et servir.

Coeurs de palmier au jambon

8 tranches de jambon
cuit maigre
8 coeurs de palmier (en
boîte)
moutarde
mayonnaise
quelques feuilles de laitue
quelques rondelles de
tomate
quelques cuillères de lait

Laisser soigneusement égoutter les coeurs de palmier et les enrouler dans le jambon.
Disposer sur des assiettes individuelles couvertes d'un lit de laitue décoré de quelques tomates.
Mélanger la mayonnaise, la moutarde et le lait et napper les rouleaux avec cette sauce.

Salade Carlton au jambon

4 tranches de jambon
cuit
1 laitue
1 petite boîte d'ananas
0,15 l de crème
jus d'1 citron
1 pomme
3 tomates (pas trop
mûres)
2 petits céleris blancs
1 oeuf dur
sel et poivre
2 jaunes d'oeufs
persil

Laisser égoutter l'ananas.
Battre le jus d'ananas et les jaunes d'oeufs et faire épaissir ce mélange à feu doux en une sauce épaisse (ne pas utiliser un poêlon en aluminium pour cette opération).
Couper tous les légumes et les fruits en fines lanières. Hacher l'oeuf dur. Mettre tous les ingrédients dans un saladier.
Battre la crème en chantilly et y ajouter la sauce au jus d'ananas froid. Introduire ce mélange dans la salade.
Relever de jus de citron, poivre et sel. Répartir la salade et le jambon sur de petites assiettes. Accompagner de toasts chauds.

Salade de fonds d'artichauts

4 gros fonds d'artichauts
en boîte
4 c.à s. d'huile d'olive
le jus d'un petit citron
sel, poivre
200 g de riz cuit
80 g d'olives noires
3 dl de mayonnaise
4 belles feuilles de laitue

Laisser égoutter les fonds d'artichauts sur du papier absorbant.
Les couper en morceaux. Les poser dans un saladier et ajouter l'huile, le jus du citron, le sel, le poivre. Laisser mariner une heure.
Ajouter alors le riz cuit.
Dénoyauter les olives et les hacher très fin. Incorporer la moitié des olives et de la mayonnaise aux artichauts pour en faire une salade.
Poser les feuilles de laitue sur le bord et les remplir avec le mélange de salade.
Décorer avec le restant d'olives et de mayonnaise.

Salade mixte

4 oeufs
160 g de macaronis
4 fonds d'artichauts
4 tomates
300 g de pieds de céleri
5 dl de mayonnaise
sel, poivre
4 tranches de langue de
boeuf rôtie
morceaux de truffes
persil haché

Cuire les oeufs durs, les laisser refroidir et les peler.
Cuire les macaronis environ 10-15 mn dans de l'eau salée, les passer sous l'eau froide et les laisser reposer.
Couper les fonds d'artichauts en dés.
Couper 2 tomates en morceaux, éplucher les pieds de céleri et les couper en julienne.
Saler et poivrer la mayonnaise. La mélanger avec le reste des tomates reduit en purée.
Dans un saladier, mélanger les légumes avec le mélange des tomates et de la mayonnaise. Tester pour les épices. Ajouter la langue coupée en morceaux.
Décorer les côtés de la salade d'un ruban de mayonnaise et parsemer de blanc d'oeuf haché, de jaune d'oeuf écrasé, des morceaux de truffes et de persil.

Papayes au jambon de Parme

2 papayes
jus d'un citron
100 g de jambon de
parme
50 g de jambon cru
mélisse

Laver les papayes et les couper en deux. Eliminer les pépins. Couper chaque demi-papaye en deux dans le sens de la longueur, éplucher et asperger de jus de citron. Servir sur une assiette garnie de jambon de parme, de jambon cru et de feuilles de mélisse.

Carottes râpées

300 g de carottes
jus d'un citron ou d'oignon frais
huile d'olive
sel, poivre
persil haché

Bien éplucher les carottes et en faire une julienne.
Donner du goût avec le jus du citron ou de l'oignon, l'huile, le sel et le poivre et couvrir avec le persil haché et éventuellement d'une échalote hachée.
Placer dans un plat adéquat afin de perdre le moins de vitamines possible.

Salade de céleri

400 g de céleri rave
sauce pour salade

On peut utiliser du céleri blanc en tranches ou du céleri rave en blocs. Accompagner de sauce pour salade.

Salade au coeur de veau

1 coeur de veau
sel
1/2 feuille de laurier
1 clou de girofle
5 grains de poivre

Laver le coeur de veau et laisser cuire environ 1 h. dans de l'eau salée bouillante avec le clou de girofle, les grains de poivre et l'oignon. Couper la viande et les cornichons en fines tranches et la salade en lamelles. Couper les tomates en quatre et laisser égoutter les

Papayes au jambon de Parme, recette p. 14

1 oignon (en tranches)
100 g de cornichons aigre-doux
1 demi-salade
4 tomates
1 petite boîte de pointes d'asperges
4 c.à s. de vinaigre
4 c.à s. d'huile
1 c.à thé de moutarde
sauce Worcestershire
sel, poivre, sucre

pointes d'asperges. Bien battre l'huile et le vinaigre pour obtenir une sauce épaisse. Ajouter la moutarde et la sauce Worcestershire et assaisonner avec le sel, le poivre et le sucre. Verser la sauce sur la salade et laisser reposer. Servir dans des coupes.

Chou en salade

400 g de chou aigre cru
huile d'olive
sel, poivre

Poser le chou au centre d'une passoire. Le passer sous l'eau et veiller à ne pas en perdre. Goûter s'il est aigre ou non.
Egoutter soigneusement et le presser dans un torchon de cuisine.
Déposer dans un saladier et détacher les feuilles avec les couverts à salade.
Asperger d'huile d'olive (la quantité dépend de l'importance du chou). Saler et poivrer si nécessaire.

Salade de poulet au curry

250 g de filet de poulet
1/2 reinette
1/2 boîte de mandarines
3 c.à s. de mayonnaise
1 1/2 c.à c. de curry
4 feuilles de laitue

Cuire le filet de poulet dix minutes, presque à point (mais pas tout à fait sinon la viande est trop sèche) et le laisser refroidir.
Egoutter les mandarines.
Faire une sauce avec la mayonnaise, le curry et le jus de mandarines.
Peler la pomme et râper très fin. Mélanger le poulet avec la sauce au curry et y incorporer la pomme et les mandarines.
Poser une tranche de laitue dans 4 verres et répartir la préparation.

Tomates au maquereau

1 oeuf
4 tranches de laitue
4 grosses tomates
1 morceau de maquereau à la sauce tomate
1 pot de crème sure
1 c.à s. de sherry
sel, poivre

Cuire l'oeuf dur et l'éplucher. Laver la laitue et la diviser. Laver les tomates et les étêter. Evider précautionneusement les tomates avec une c.à café.
Déposer le maquereau dans un bassin et le mélanger au sherry et à la crème.
Couper l'oeuf en fines tranches. Epicer avec le sel et le poivre.
Déposer les feuilles de laitue sur quatre petits plats. Remplir les tomates avec le mélange obtenu, garnir avec l'oeuf et les déposer sur les feuilles de laitue.

Salade de chou-fleur avec sauce

1 petit chou-fleur
3 tomates

Nettoyer le chou-fleur, le laver et séparer les fleurs. Couper les tomates en huit. Laver les poires et les couper en quatre. Oter les tro-

2 poires

pour la sauce:
1/4 l de crème
jus d'1 orange
sucre, poivre
poudre de paprika

gnons et couper les quartiers en fines tranches. Mélanger tous les ingrédients.

Pour la sauce: Battre légèrement la crème, y ajouter le jus d'orange et le sucre et assaisonner avec le sel et la poudre de paprika. Verser la sauce sur la salade et bien laisser reposer. Servir dans des coupes.

Maquereau sur toast

1 petit maquereau fumé
4 c.à s. de mayonnaise
4 c.à s. de crème sure
1 c.à s. de ketchup
1 gousse d'ail
poivre, tabasco
1 paquet de toasts

Nettoyer le maquereau et le diviser en morceaux.

Préparer une sauce avec la mayonnaise, la crème, le ketchup, le poivre, le tabasco et la gousse d'ail hachée.

Etendre le maquereau sur les toasts et arroser de sauce.

Salade Waldorf

200 g de salade de céleri
4 tranches d'ananas cou-
pées en morceaux
2 pommes fraîches
3 c.à s. de fromage blanc
1 c.à s. de mayonnaise
50 g de noix épluchées

Faire égoutter l'ananas et le céleri dans une passoire.

Mélanger les pommes coupées en morceaux avec le fromage blanc. Ajouter le céleri, l'ananas et la mayonnaise. Parsemer avec les noix. Répartir le tout dans des coupes (ou des coquilles genre coquilles Saint Jacques) et garnir chacune avec une demi-noix.

Assortiment de viandes froides

6 tranches de jambon
6 tranches de fricandeau
6 tranches de salami
6 tranches de filet de
boeuf
2 oeufs durs
cornichons au vinaigre
anchois

Arranger les différentes viandes sur un plat.

Couper les oeufs durs dans le sens de la longueur.

Garnir le plat de viandes avec les oeufs, les anchois et les cornichons.

Pâté de foie

300 g de pâté de foie bien
tartinable
4 c.à s. de cognac
100 g de foie de porc,
coupé très fin
100 g de jambon maigre,
coupé très fin
4 c.à s. de vin blanc sec
1 pincée de poivre de
Cayenne
1 c.à c. de sauce
Worcester
1 gousse d'ail

Mélanger le pâté avec le cognac dans un bol jusqu'à ce qu'il soit bien lisse.

Ajouter le foie de porc, le jambon et le vin blanc.

Epicer avec le poivre de Cayenne, la sauce Worcester et l'ail.

Roulades de saumon

1 oeuf
1 petite boîte de pêches
1 petite botte de radis
2 1/2 c.à s. de
mayonnaise
1/2 c.à s. d'aneth
sel de céleri
2 c.à c. de jus de citron
4 tranches de saumon
fumé

Peler l'oeuf dur et le couper en petits morceaux.
Laisser égoutter les pêches. Râper les radis.
Y ajouter la mayonnaise, les pêches et l'aneth. Epicer avec le sel de céleri et le jus de citron.
Répartir le mélange sur les tranches de saumon et ensuite les rouler.
Répartir les roulades sur 4 assiettes et les garnir avec les morceaux d'oeufs et encore quelques morceaux de pêches.

Poires au roquefort

4 poires
100 g de roquefort
2 c.à s. de crème sure
1/2 coeur de laitue
radis
mandarine
olives
concombre

Eplucher les poires et les couper en deux. En retirer le trognon avec une cuiller.
Mélanger le roquefort avec la crème sure jusqu'à obtention d'une pâte lisse.
Répartir ce mélange sur les poires. Décorer avec des morceaux de radis, de mandarine, d'olives ou de concombres.
Poser les poires sur un plat couvert de salade.

Ananas surprise

1 ananas
1 orange
1 mangue
2 bananes
1 pomme
1/2 boîte de lychées
1/2 c.à c. de cannelle
sucre
1 dl de vieux rhum

Etêter l'ananas, en retirer la pulpe et le découper en petits morceaux.
Eplucher les autres fruits et les couper en petits morceaux.
Sucrer suffisamment avec le sucre et la cannelle. Verser le rhum.
Remplir l'ananas avec le mélange de fruits et replacer la calotte.
Mettre au réfrigérateur. Servir frais.

Melon au fromage blanc

1 melon
175 g de fromage blanc
75 g de concombre cou-
pé en petits morceaux
50 g de crevettes
épluchées
sel, poivre
ciboulette

Retirer la chair du melon et la mélanger à la ciboulette.
Incorporer le concombre dans le fromage blanc et ensuite ajouter les crevettes, le sel et le poivre.
Ajouter enfin la pulpe du melon et remplir le melon creusé avec ce mélange.
Servir frais.

Salade au coeur de veau, recette p. 14

Soupes et consommés

Recette de base pour le bouillon de viande

500 g de viande braisée
500 g d'entrecôtes
2 morceaux de moelle
3 branches de persil
1 branche de céleri
3 feuilles de laurier
5 ou 6 gousses d'ail
1 carotte
2 poireaux
1 gros oignon
5 clous de girofle
1 c.à s. de sel
poivre en grains
2 ou 3 baies de genévrier

Remplir une casserole avec 3 l d'eau froide. Ajouter la viande et la moelle et mettre sur le feu.
Attacher le persil bien lavé avec le céleri, le thym et les feuilles de laurier. Peler l'ail. Nettoyer la carotte et les poireaux et les couper en morceaux. Placer le tout dans une casserole avec le sel, le poivre et les baies de genévrier et laisser mijoter durant trois heures avec le couvercle (ou cuire 45 mn dans la marmite à pression).
Retirer la viande et la moelle de la casserole. Passer le bouillon. Le bouillon peut être servi tel quel. Il peut aussi servir de base pour une soupe.
Avec la viande qu'on a ainsi récupéré, on peut encore préparer une salade de viande.

Recette de base pour le bouillon de poisson

500 g de têtes et arêtes de turbot
500 g de petits poissons, genre merlan
2 dl de vin blanc sec
6 branches de persil
1 tige de blanc de céleri
2 oignons
1 carotte
4 ou 5 champignons
1 assortiment d'herbes
1 branche de thym
1 feuille de laurier
sel
6 grains de poivre

Nettoyer l'intérieur des poissons (laisser têtes et nageoires) et les laver abondamment à l'eau froide. Placer les poissons dans une grosse casserole avec 2 l d'eau froide et le vin et mettre à cuire. Ecumer régulièrement.
Laver le persil et le blanc de céleri. Peler les oignons. Gratter la carotte. Nettoyer les champignons. Couper tous les légumes très fin et jeter le tout dans le bouillon.
Ajouter les herbes, le thym et le laurier.
Saler. Faire cuire à feu doux 30 mn.
Au bout de 20 minutes, ajouter les six grains de poivre. Continuer à écumer de façon régulière.
Retirer la casserole du feu et tamiser.

Recette de base pour le bouillon de poule

1 poireau
2 carottes
1 oignon
2 ou 3 gousses d'ail
6 branches de persil
1 branche de céleri
100 g de cou, ailes
1 poulet pour la soupe (1 kg)

Nettoyer le poireau et les carottes. Les couper en morceaux. Peler l'oignon et l'ail. Couper l'oignon en tranches. Laver le persil et le céleri. Passer le cou et les ailes à l'eau froide.
Mettre tous les ingrédients (sauf l'oeuf) dans une casserole et couvrir de trois litres d'eau. Faire cuire et réduire ensuite à feu doux (au bout de trente minutes, retirer et écumer avec une cuiller spéciale). Cuire deux heures.
Passer le bouillon. On peut éclaircir le bouillon en ajoutant le blanc

1 morceau de moelle
1 branche de thym
1 feuille de laurier
poivre en grains
1 c.à s. de sel
1 blanc d'oeuf

d'oeuf bien battu, et en laissant cuire 2 minutes tout en remuant. Tamiser le bouillon au travers d'un linge propre très fin, légèrement humide.

Servir le bouillon chaud. Présenter le poulet avec du riz ou de la salade.

Recette de base pour un consommé

1,5 l de bouillon de viande
300 g de boeuf
1 carotte
1 poireau
1 branche de céleri
1 blanc d'oeuf
sel, poivre

Nettoyer la carotte et le poireau, les rincer et les découper en morceaux. Laver le céleri et le couper très finement.

Mettre la carotte, le poireau, le céleri, la viande et le blanc d'oeuf dans une casserole. Ajouter le bouillon préparé suivant la recette de base. Secouer.

Porter le tout à ébullition sur un feu doux. Poser par la suite le couvercle et laisser cuire doucement sur une flamme très faible (ou 40 mn dans la casserole à pression).

Retirer du feu et tamiser le consommé au travers d'un linge très fin et légèrement mouillé.

Epicer.

On peut servir ce consommé chaud ou froid dans des bols sans fromage ni croûtons de pain. Il conserve ainsi son goût naturel. Un bon début pour un repas de gourmet.

Consommé de champignons

300 g de champignons
50 g de beurre
sel, poivre
1 l de consommé de bouillon de viande
un demi-citron
4 tranches de pain sans croûtes
2 tranches de jambon cuit

Couper le pédoncule des champignons. Laver les champignons et les couper en petits carrés.

Faire fondre le beurre dans une poêle. Laisser le liquide des champignons s'évaporer sur un feu vif. Parsemer légèrement de sel et de poivre et faire mijoter à feu doux pendant 15 mn.

Chauffer le consommé de bouillon préparé selon la recette de base. Presser le demi-citron et verser le jus dans le consommé. Ajouter ensuite les champignons. Cuire une heure avec le couvercle.

Découper le pain et le jambon en triangles. Griller le pain.

Passer le consommé au mixer. Réchauffer rapidement la purée de légumes ainsi obtenue (ne pas faire cuire). Servir avec les toasts au jambon.

Crème de chanterelles

300 g de chanterelles
1 petit oignon
2 branches de persil
40 g de beurre
1 c.à s. de farine
1 l de bouillon de viande
2 jaunes d'oeufs
1 dl de crème fraîche
sel, poivre
le jus d'un citron

Retirer le pédoncule des chanterelles et les laver (garder 4 chanterelles pour la garniture finale). Les découper en morceaux. Peler l'oignon et le hacher finement.

Faire fondre le beurre dans une poêle et faire revenir l'oignon. Faire cuire les champignons à l'étouffée à feu vif. Les parsemer de farine et remuer durant 2 mn env. Verser le bouillon dessus et faire cuire le tout à feu doux, 15 mn.

Ensuite mixer avec un batteur ou frotter sur un tamis. Laisser encore cuire 10 min.

Frire les 4 chanterelles dans un peu de beurre. Battre les jaunes d'oeufs avec la crème, ajouter le sel et le poivre. Jeter dans la soupe. Remettre la soupe un moment sur le feu.
Epicer la soupe avec le jus du citron. Verser dans une soupière et garnir avec les quatre chanterelles frites et le persil.

Consommé de cheveux d'ange

1 l de consommé
2 branches de persil
100 g de vermicelles (cheveux d'ange)
sel, poivre

Chauffer le consommé préparé suivant la recette de base. Laver le persil et le hacher finement.
Dès que le consommé bout, ajouter les vermicelles et cuire le tout 3 mn. Mélanger. Epicer.
Retirer la casserole du feu et verser le contenu dans une soupière ou immédiatement dans les assiettes. Parsemer de persil.

Bouillon de poule au cresson

1 ravier de cresson
1 l de bouillon de poule
sel

Détacher les feuilles de cresson, les laver et les hacher finement.
Porter le bouillon sur le feu. Y incorporer les feuilles de cresson. Cuire 5 minutes. Saler. Servir.

Soupe afghane

1 l 1/2 de bouillon de poisson
80 g de riz
2 jaunes d'oeufs
3 c.à s. de jus de citron
sel
4 rondelles de citron

Réchauffer le bouillon préparé selon la recette de base. Laver le riz.
Le jeter dans le bouillon et faire cuire 12 à 18 mn à feu doux.
Quand le riz est cuit, battre les jaunes d'oeufs dans un bol avec le jus de citron et un soupçon de bouillon.
Baisser le feu. La soupe ne peut absolument plus cuire.
Ajouter le mélange de jaunes d'oeufs tout en remuant précautionneusement et remuer encore quelques minutes. Retirer la casserole du feu.
Saler.
Verser immédiatement la soupe dans une soupière ou des assiettes à soupe. Ajouter les rondelles de citron.
Poivrer. Parsemer de feuilles de menthe fraîche comme c'est l'habitude en Grèce.

Soupe d'hiver

150 g d'haricots blancs
150 g d'haricots bruns
150 g de pois cassés
3 carottes
3 oignons
300 g d'épinards
3 c.à s. d'huile d'olive
30 g de beurre
sel, poivre

Faire tremper les haricots et les pois cassés à part la veille du repas.
Le jour suivant, cuire les haricots dans 3 l d'eau, en une heure et demie (ou 45 mn à la marmite à pression) et, dans une autre casserole, placer les pois cassés dans 2 l d'eau (la cuisson dure 40 mn pour eux et 15 mn dans une marmite à pression).
Nettoyer les carottes et les couper en rondelles. Peler les oignons et les hacher finement. Laver les épinards et les tordre.

Salade de chou-fleur avec sauce, recette p. 16

Chauffer l'huile et le beurre dans une poêle. Ajouter les oignons et les carottes. Cuire à l'étouffée 20 mn sur un feu doux.
Retirer les légumes quand ils sont cuits. Laisser égoutter et tamiser. Garder 1/2 l de l'eau de cuisson bouillante des haricots.
Passer les légumes au mixer. Remettre dans la casserole. Ajouter les épinards et l'eau de cuisson des haricots, sel et poivre et cuire encore 5 mn. Servir.
Y ajouter des croûtons (morceaux de pain cuits dans le beurre).

Soupe de pommes de terre

500 g de viande désossée
1 feuille de laurier
1 oignon
poivre noir moulu
1 kg de pommes de terre
250 g de carottes
1 paquet de légumes pour soupe
1 c.à s. de beurre
sel

Mettre la viande, la feuille de laurier, l'oignon et un peu de poivre noir dans 3/4 l d'eau bouillante. Laisser cuire 15 mn. Eplucher les pommes de terre et nettoyer les carottes. Les couper en gros morceaux. Mettre le tout dans la soupe et poursuivre la cuisson à feu doux pendant 30 mn.
Nettoyer entre-temps les légumes pour la soupe. Couper le céleri en petits blocs, le poireau et les carottes en petits morceaux. Repêcher la feuille de laurier. Mettre les légumes dans la soupe et laisser cuire 10 mn. Ajouter la viande et le beurre. Laisser cuire le tout un instant pour réchauffer la viande. Assaisonner de sel et de poivre et servir la sauce.

Soupe de bolets

1 kg de pommes de terre
2 branches de persil
2 gousses d'ail
200 g de bolets
sel, poivre
1 dl de crème fraîche

Eplucher et laver les pommes de terre et les couper en petits carrés. Laver le persil, le hacher avec les deux gousses d'ail nettoyées.
Nettoyer les bolets avec un linge humide et les couper en tranches. Faire chauffer le beurre dans une casserole. Y ajouter les pommes de terre et les bolets. Les faire frire à feu doux durant 5 mn. Ajouter le persil et l'ail mélangés, le sel et le poivre et cuire à l'étouffée. Verser un litre d'eau bouillante et cuire le tout à feu doux. Compter une heure. Ajouter la crème battue.

Soupe de lentilles

300 g de lentilles
200 g de couenne de lard
3 oignons
1 bouquet garni: 1 branche de thym, 2 feuilles de laurier, 2 branches de persil
sel, poivre noir
sucre en morceaux
100 g de lard fumé
1 c.à s. de vinaigre

La veille: laver les lentilles (retirer les mauvaises) et les tremper dans 3/4 l d'eau.
Le jour suivant: laver la couenne à l'eau tiède. Peler un oignon et le couper en quatre.
Préparer les lentilles avec le liquide de la veille, la couenne, l'oignon et le bouquet garni dans une casserole. Ajouter 1 l d'eau, le sel. Faire cuire une heure à feu moyen (ou 25 mn à la marmite à pression). Oter la couenne et passer les lentilles au mixer. Remettre dans la casserole. Ajouter le poivre, le vinaigre et le sucre. Chauffer à feu très doux.
Couper le lard en tout petits morceaux. Peler le reste des oignons et faire frire à la poêle pendant 5 mn. Mélanger.

Verser la soupe dans une soupière et prévoir un plat pour servir les morceaux de lard fumé et les oignons.

Soupe chinoise

200 g de culotte de boeuf
1 c.à s. de Maïzena
3 c.à s. de sauce de soja
6 à 8 champignons chinois
1 oignon
1 gousse d'ail
1 petit morceau de racine de gingembre
1 c.à s. d'huile
1 1/2 l de bouillon de poule
1/2 c.à c. de glutamate (vetsin) ou une pointe de sel
1 c.à s. de vinaigre de vin
2 échalotes
poivre

Couper la viande en tranches minces (aussi fines que du papier) et les tailler en bandes obliques.
Les mettre dans un saladier avec la Maïzena et deux cuillers à soupe de sauce de soja. Bien mélanger et laisser mariner une heure.
Placer les champignons dans un bol plein d'eau tiède.
Peler l'oignon et l'ail, les hacher ensemble très fin avec le gingembre. Frire dans l'huile bouillante (utiliser une poêle en fonte).
Chauffer le bouillon préparé selon la recette de base.
Verser en remuant le mélange oignon-ail-gingembre.
Incorporer les bandes de viande une à une dans la soupe qui cuit.
Ajouter le sel et laisser mijoter encore 30 mn.
Egoutter les champignons et les couper en morceaux. Les ajouter à la soupe et cuire 10 mn.
Au moment de servir, ajouter le vinaigre, le soja, les échalotes finement hachées et le poivre.
Les échalotes sont de délicieux petits oignons. Si on ne peut pas se les procurer, on peut les remplacer par des oignons de printemps ou des jeunes oignons. On peut également remplacer la culotte de boeuf par un morceau de poulet, et le gingembre frais par 1,5 c.à c. de gingembre en poudre. La quantité de gingembre frais - assez piquant et fort - dépend de votre goût. Avant de les couper en morceaux, râper soigneusement les racines avec un petit couteau. Le repas chinois se termine par la soupe.

Soupe serbe

3 oignons
2 gousses d'ail
1 poivron vert
1 poivron rouge
2 branches de persil
1 branche de thym
1 feuille de laurier
1 kg de viande de mouton (poitrine)
2 c.à s. d'huile
sel, poivre
150 g de riz
1 c.à s. de vinaigre

Eplucher les oignons et les couper en rondelles. Peler l'ail et en presser le jus. Laver les poivrons et les couper en morceaux. Lier les branches de persil, de thym et la feuille de laurier en un bouquet.
Couper le mouton en morceaux. Chauffer l'huile dans une casserole et y frire la viande 3 à 4 mn. Ajouter les légumes et les cuire à l'étouffée. Ajouter 1 1/2 l d'eau et chauffer. Faire mijoter le tout une heure avec le bouquet de persil et le sel (ou 25 mn à la marmite à pression).
Incorporer le riz et le vinaigre. Laisser encore mijoter 15 mn et goûter le riz. S'il n'est pas encore cuit, prolonger un moment la cuisson. Quand le riz est cuit, poivrer. Servir de suite.

Mulligatawny

2 oignons
2 poireaux
2 tiges de céleri blanc
50 g de beurre
1 c.à s. de farine

Peler les oignons et nettoyer les poireaux. Les hacher ensemble. Nettoyer le céleri et le couper en petites rondelles.
Faire fondre le beurre dans une casserole en fonte et y faire frémir les légumes. Ajouter alors la farine et bien remuer. Incorporer le cur-

1 ou 2 c.à c. de poudre de curry 2 clous de girofle 750 g de poule en morceaux sel, poivre 80 g de riz (longs grains) 1/2 dl de lait de coco ou 30 g de noix de coco râpée	ry, les clous de girofle, 2 l d'eau et les morceaux de poule. Saler. Faire cuire à l'étouffée pendant une heure (ou 30 mn à la marmite à pression). Par ailleurs faire chauffer 1 l 1/2 d'eau salée. Y cuire le riz 18 mn. Egoutter le riz tout en le remuant avec une fourchette. Retirer les morceaux de poule de la casserole. Laisser encore cuire les autres ingrédients à feu vif 5 mn jusqu'à obtention d'un bouillon bien concentré. Désosser les morceaux de poule et réduire la peau en tout petits morceaux. Passer la soupe au mixer et la remettre dans la casserole en fonte. Ajouter la poule, le riz et la noix de coco râpée ou le lait. Cuire encore 2 mn. Poivrer. Servir. *Cette soupe délicieuse est une invention de la cuisine indienne. Le nom intraduisible fut probablement écorché par un Anglais. Avant de servir on peut y verser 1 dl de crème fraîche ou quelques champignons. Le coco n'est pas indispensable mais confère un goût exotique à ce mets.*

Soupe de brocolis

1 kg de brocolis 1 gousse d'ail 4 branches de persil 100 g de lard 2 c.à s. d'huile d'olive 2 c.à s. de concentré de tomates sel, poivre en grains 200 g de macaronis	Laver les brocolis et les diviser en bouquets. Inciser une croix sur le dessous des tiges. Peler l'ail, laver le persil et les hacher ensemble avec le lard. Chauffer l'huile dans une casserole. Ajouter le mélange d'ail et faire frire. Mettre le concentré de tomates dans 1/4 l d'eau et ensuite y mettre le sel et les brocolis. Cuire à l'étouffée 5 mn. Verser 1 l d'eau bouillante et faire cuire le tout à feu doux, couvercle posé, durant 20 mn. Enfin faire cuire les macaronis 10 mn dans le même liquide, jusqu'à ce qu'ils soient cuits. Epicer avec le poivre moulu.

Suprême de citrouille

500 g de citrouille 3 poireaux 2 pommes de terre 1 l de bouillon de poule 70 g de beurre sel 1/2 l de lait 30 g de riz (grains ronds)	Nettoyer les légumes. Couper la citrouille en gros morceaux, les poireaux en rondelles et les pommes de terre en petits carrés. Chauffer le bouillon préparé selon la recette de base. Faire fondre 25 g de beurre dans un caquelon. Ajouter la citrouille, les poireaux et les pommes de terre. Bien mélanger et après 5 minutes couvrir de bouillon. Saler. Faire cuire le tout 20 mn sur feu moyen. Après la cuisson, ajouter le lait. Remettre au feu. Préparer le riz et laisser cuire 15 mn. Quand la soupe est prête, incorporer le reste du beurre. Servir.

Soupe ''Minuit''

100 g de lard fumé 1 oignon 1 gousse d'ail 1 poivron vert	Bien cuire le lard fumé coupé en dés. Ajouter l'oignon émincé, l'ail, le poivron et les champignons. Laisser mitonner 10 mn. Ajouter l'eau et la soupe goulasch selon le mode d'emploi. Laisser cuire un

Soupe de pommes de terre, recette p. 24

125 g de champignons
1 l d'eau
1 boîte de soupe
goulasch
1 dl de crème sûre
125 g de salami

instant le tout. Ajouter la crème pour donner le goût à la soupe. Déposer des fines tranches de salami dans la soupe et servir chaud avec du pain grillé.

Soupe à la bière à l'allemande

1 1/4 l de bière
2 c.à s. de sucre
4 jaunes d'oeufs
2 dl de crème
le jus d'un citron
1/2 c.à c. de cannelle
sel, grains de poivre

Verser la bière et le sucre dans une grande casserole et porter à feu vif. Remuer sans cesse. Cuire jusqu'à dissolution du sucre dans la bière. Retirer la casserole du feu.
Battre les jaunes d'oeufs avec la crème, le jus du citron, la cannelle et 4 pincées de sel. Incorporer au mélange de bière.
Remettre la casserole sur le feu. Cuire 2 à 3 mn à feu doux.
Remuer sans cesse pour obtenir un mélange bien lisse. La soupe ne doit pas cuire, sinon les jaunes d'oeufs vont durcir.
La cuisson terminée, ajouter le poivre. Verser dans les assiettes à soupe.
Servir éventuellement avec de petits morceaux de pain grillé passés au beurre.

Crème de tomates

500 g de tomates
40 g de beurre
2 c.à s. de farine
1 l de lait
sel, poivre
ciboulette

Laver les tomates, les couper en quatre et les passer au mixer très soigneusement. Mettre la purée obtenue dans un bol.
Faire fondre le beurre dans une poêle. Ajouter la farine. Mélanger avec une cuiller en bois jusqu'à obtention d'un mélange mousseux.
Ajouter la purée de tomates. Continuer à remuer. Le mélange doit être bien lisse et bien épais. Y incorporer le lait peu à peu. Epicer avec le sel et le poivre et faire cuire encore 20 mn à feu doux. Servir. Garnir de ciboulette.
On peut si l'on veut remplacer 1/4 du litre de lait par 1/4 de litre de crème fraîche.

Suprême d'écrevisses

700 g d'écrevisses
vivantes
60 g de beurre
2 c.à s. d'huile
1 échalote
1 1/2 dl de sherry ou de
cognac
sel, poivre
30 g de farine
12 cl de crème fraîche

Nettoyer les écrevisses: c'est-à-dire tirer d'un coup sec l'intestin depuis la tête jusqu'à la nageoire centrale.
Chauffer 30 g de beurre et l'huile dans une casserole. Y jeter les écrevisses. Les faire frémir jusqu'à ce qu'elles aient une belle couleur rouge. Couvrir alors et faire cuire 5 mn.
Eplucher et découper l'échalote. La mettre dans la casserole avec le sherry ou le cognac, le sel et le poivre. Faire flamber le cognac. Cuire le tout à l'étouffée 10 mn.
Dans une autre casserole, mettre 1 l d'eau à chauffer.
Retirer les écrevisses de la casserole. En retirer les queues et les garder pour garnir la soupe. Passer le reste au mixer ou broyer très finement. En même temps ajouter l'eau chaude peu à peu. Tamiser la soupe.

Faire fondre le reste du beurre. Faire un roux avec la farine et incorporer le bouillon très doucement. Laisser encore la soupe mijoter 5 mn à feu doux et y verser la crème. La soupe ne doit pas cuire. *Garnir avec les queues d'écrevisses mises de côté et servir la soupe bien chaude accompagnée de croûtons.*

Suprême de poulet

1 poulet pour la soupe
± 3 l d'eau
1 oignon
1 poireau (seulement le blanc)
2 carottes
1 céleri
1 c.à s. de sel
poivre
cerfeuil
100 g de farine
2 jaunes d'oeufs
2 dl de crème fraîche

Afin d'obtenir un très bon bouillon de poule, mettre à cuire le poulet dans de l'eau froide, sans couvercle, écumer et alors ajouter les légumes finement coupés avec du sel et du poivre. Laisser cuire plus longtemps sur feu doux. Quand le poulet est bien cuit, le retirer du bouillon. Tamiser et filtrer le bouillon (au travers d'un linge de cuisine humide) et le remettre à cuire.

Préparer un roux: faire fondre le beurre, incorporer la farine en tournant, laisser cuire un moment.

Introduire à ce roux refroidi le bouillon encore chaud, bien remuer et laisser chauffer la soupe encore 15 minutes, mais ne pas bouillir. Mélanger dans un bol les jaunes d'oeufs avec la crème et les jeter dans la soupe. Fouetter.

La soupe sera plus savoureuse si on ajoute du cerfeuil finement haché et de longues bandes de viande pour bouillon sur toute la surface.

Soupe piquante de poulet

1 poulet pour soupe
1 paquet de légumes pour
soupe
sel
375 g de haché mélangé
1 oignon
1 oeuf
2 c.à s. de farine
poivre
poivre de Cayenne
tabasco
4 piments
2 poivrons rouges
100 g de nouilles

Mettre le poulet et les légumes dans de l'eau salée et laisser cuire à feu doux pendant 1 1/4 h. Sortir le poulet et les légumes. Désosser le poulet et couper la viande en morceaux. Mélanger le haché, l'oignon coupé fin, l'oeuf et la farine et assaisonner en ajoutant le sel, le poivre, le poivre de Cayenne et le tabasco. Faire de petites boulettes et les laisser cuire dans un peu de bouillon de poulet. Tamiser le bouillon et le remettre dans le reste de la soupe. Laisser cuire les nouilles et les ajouter à la soupe. Nettoyer les poivrons et les piments et les couper en morceaux. Laisser cuire poivrons et piments pendant ± 10 mn dans le bouillon. Ajouter alors les boulettes et la viande. Réchauffer le tout et servir.

Soupe de crevettes au vin blanc

1 poivron vert
200 g de crevettes grises
1/2 l de bouillon (frais ou tablette)
1/4 l de vin blanc
2 tomates pelées
1 oignon finement émincé
30 g de farine
30 g de beurre
sel, poivre et ciboulette

Faire fondre le beurre dans une casserole et y mettre le poivron coupé en fines lanières à étuver pendant env. 10 mn.

Parsemer de farine et ajouter lentement le bouillon et le vin blanc. Tourner jusqu'à obtention d'un roux.

Ajouter les tomates pelées et concassées, l'oignon et les crevettes et laisser reprendre la cuisson. Relever de poivre et de sel. Parsemer de ciboulette hachée avant de servir.

Consommé julienne

1/2 kg de boeuf maigre
1/2 kg d'os de boeuf
1 1/2 l d'eau
1 feuille de laurier
quelques grains de poivre, sel, persil
1 clou de girofle
1 oignon
bouquet garni, thym, ciboulette
par personne: 150 g de carottes, poireau, céleri et quelques feuilles de laitue

Couper la viande en dés, bien laver les os et mettre le tout dans une grande casserole avec de l'eau. Mettre à cuire pendant env. 1 1/2 h. Ajouter du sel, le bouquet garni, le thym, la feuille de laurier, le clou de girofle, le persil et l'oignon émincé et laisser encore frémir 1/2 h à petit feu.
Filtrer le potage. Emincer très finement les carottes, poireaux, laitue et céleri et les mettre à cuire pendant 10 mn, à feu doux, dans le bouillon.
Garnir de ciboulette les assiettes remplies de consommé.

Potage aux épinards et saumon fumé

250 g d'épinards surgelés
1 jaune d'oeuf
3 c.à s. de crème
1 oignon
1 c.à s. de farine
1 c.à s. de beurre
1 l de bouillon (frais ou tablette)
noix de muscade, sel et poivre
4 fines tranches de saumon fumé

Faire fondre le beurre dans une casserole et faire dorer l'oignon émincé.
Parsemer de farine et ajouter, en tournant continuellement, peu à peu le bouillon jusqu'à obtention d'un roux. Laisser dégeler les épinards et les ajouter au potage.
Mélanger le jaune d'oeuf et la crème, assaisonner à volonté de sel, poivre et noix de muscade et introduire ce mélange dans le potage. A partir de ce moment, il ne peut plus bouillir.
Répartir le potage dans les assiettes, recouvrir d'une tranche de saumon fumé et servir immédiatement.

Boeuf aux légumes printaniers

1 1/2 kg de bouilli de boeuf
1 paquet de légumes pour le potage
1 gros oignon
10 échalotes
3 blancs de poireau
10 pommes de terre
300 g de petits choux
150 g de nouvelles carottes
poivre, sel, persil

Mettre la viande à cuire pendant 1 h, dans 1 1/2 l d'eau, avec les légumes de potage et l'oignon.
Entre-temps, laver et nettoyer les autres légumes. Couper les poireaux en fines rondelles, et les pommes de terre en dés. Les ajouter à la viande et prolonger la cuisson jusqu'à ce que tous les légumes soient cuits.
Assaisonner de sel et de poivre.
Parsemer de persil haché avant de servir.

Potage aux chicons

750 g de chicons
1 1/4 l de bouillon
80 g de lard fumé maigre
2 oignons
40 g de farine
40 g de beurre
3 c.à s. de crème

Laver les chicons, couper l'extrémité amère et les émincer.
Faire dorer le lard dans une casserole, puis ajouter le beurre, les oignons émincés et les chicons et laisser doucement étuver le tout.
Parsemer de farine et bien mélanger. Ajouter, en tournant continuellement, le bouillon.
Retirer 1/3 des légumes, les mixer et les réintroduire dans le potage.

Crème de tomates, recette p. 28

sel, poivre, noix de muscade

Laisser reprendre la cuisson jusqu'à ce que tous les ingrédients soient bien cuits puis ajouter la crème et relever de poivre, sel et noix de muscade.

Potage aux carottes

500 g de carottes
2 pommes de terre
1 oignon
15 g de beurre
1 l de bouillon de poule
(frais ou tablette)
1 c.à s. de persil haché
1 c.à s. de sucre
crème, sel et poivre
croûtons

Laver et émincer les légumes. Laisser étuver dans le beurre. Ajouter le sucre et le bouillon. Porter à ébullition et laisser la cuisson se poursuivre pendant 15 à 20 mn.
Passer les légumes au mixer, ajouter du persil haché et laisser la cuisson reprendre.
Relever de poivre et de sel. Faire dorer les croûtons dans du beurre. Servir le potage accompagné de croûtons et d'un peu de crème.

Potage à la tomate

1 kg de tomates pour le
potage
1 poireau
1 céleri blanc
1 gousse d'ail
2 oignons
1 1/2 l de bouillon
1/8 l de crème
25 g beurre

Peler les tomates et les couper en 4.
Faire rapidement revenir l'oignon, l'ail, le poireau et le céleri émincés dans le beurre. Y ajouter les tomates et laisser la cuisson se poursuivre pendant quelques minutes.
Arroser avec le bouillon chaud et prolonger la cuisson pendant 20 mn.
Accompagner de crème fraîche.

Soupe provençale au pistou

100 g de carottes
50 g de haricots blancs en
boîte
100 g de haricots verts
100 g de pommes de terre
100 g de coquillettes
(pâtes)
quelques feuilles de basilic frais
2 gousses d'ail
1 l de bouillon (tablette)
persil
parmesan
beurre

Laver les carottes et les pommes de terre, les éplucher et les couper en fines rondelles. Couper les haricots en petits tronçons. Presser l'ail. Faire fondre le beurre dans une casserole et y mettre les légumes à étuver ainsi que l'ail, et les feuilles de basilic. Ensuite, ajouter le bouillon et les coquillettes et laisser la cuisson se poursuivre pendant 20 à 30 mn.
Parsemer de persil et de parmesan et servir bien chaud.

Soupe tomate à la mexicaine

1 petit poulet pour la
soupe
sel
5 grains de poivre
1 feuille de laurier
1 1/2 kg de tomates

Laver le poulet. Rouler le coeur, le foie et le cou dans du sel. Laisser cuire le tout avec les épices dans 2 l d'eau jusqu'à ce que tout soit bien cuit. Laisser refroidir et découper la viande en dés.
Laisser les tomates cuire quelques minutes dans de l'eau bouillante, les peler et les découper en gros morceaux. Découper les oignons en

mûres
2 gros oignons
2 c.à s. d'huile
origan
poudre chilienne
4 oeufs
poivre frais moulu

grosses tranches et les mettre à frire dans de l'huile chaude. Ajouter alors les morceaux de tomates et le bouillon. Saupoudrer d'origan et de poudre chilienne et laisser la soupe cuire 20 minutes. Epicer de sel.

Réchauffer le poulet dans la soupe. Incorporer les oeufs un à un très délicatement et attendre qu'ils durcissent. Saupoudrer enfin de poivre.

Crème de cerfeuil

1 l de bouillon
30 g de farine
30 g de beurre
3 à 4 c.à s. de cerfeuil haché
0,5 dl de crème
1 jaune d'oeuf
sel et poivre

Introduire le beurre et la farine dans le bouillon.
Ajouter le cerfeuil haché et laisser la cuisson se poursuivre quelques instants.
Battre l'oeuf avec la crème et incorporer ce mélange au potage. Saler et poivrer à volonté.

Potage Windsor

1 l de bouillon de veau (garder la viande)
60 g de beurre
50 g de farine
1 oignon
poivre de Cayenne
curry
1 c.à s. de vin rouge
0,1 l de crème
100 g de champignons émincés
persil
sel et poivre

Faire fondre le beurre dans un poêlon. Y mettre l'oignon à étuver et ajouter en tournant la farine, le curry et le poivre de Cayenne. Puis, en continuant à tourner, introduire lentement le bouillon. Laisser la cuisson se poursuivre pendant un moment.
Faire rapidement revenir les champignons et le veau coupé en dés et les ajouter au potage.
Relever de vin rouge, sel et poivre. Mélanger l'oeuf et la crème et ajouter à la soupe. Parsemer la soupe dans les assiettes de persil haché.

Bouillabaisse

1 1/2 kg de morceaux de poissons divers
500 g de scampi
500 g de moules fraîches
2 bouteilles de vin blanc
2 oignons
1 carotte
5 grosses tomates
1/2 c. à c. de thym
1 c.à c. de graines de fenouil
10 grains de poivre blanc
citron
huile d'olive ou beurre
sel et poivre
feuille de laurier
2 gousses d'ail
1 pincée de safran
persil haché

Couper les oignons en morceaux et étuver dans l'huile.
Ajouter les tomates pelées et la carotte émincée et laisser la cuisson se poursuivre.
Arroser avec le vin, et introduire le poisson, la feuille de laurier, le thym, les graines de fenouil, les graines de poivre et le safran à la préparation. Assaisonner de sel et de poivre.
Laisser la cuisson se poursuivre pendant 15 nouvelles mn. Retirer les darnes de poisson de leur jus de cuisson et les garder au chaud. Tamiser le jus de cuisson et y mettre les moules et les scampi à cuire. Replacer le poisson dans la préparation et garnir de persil.
Accompagner de pain baguette.

Soupe à l'oignon

5 oignons
1 1/2 l de bouillon
1 1/2 c. de farine
1 feuille de laurier
40 g de beurre
thym, sel et poivre
4 tranches de pain blanc
sans croûtes
100 g de fromage râpé

Couper les oignons en dés et les faire revenir dans du beurre. Parsemer de farine, ajouter peu à peu le bouillon et la feuille de laurier. Laisser cuire 20 mn à feu doux, puis ajouter les épices. Répartir le potage dans 4 ramequins en terre cuite. Couvrir d'une tranche de pain et parsemer de fromage. Mettre à gratiner pendant 10 mn dans un four préchauffé.

Soupe aux herbes et fromage

1 petit oignon
40 g de beurre
40 g de farine
3/4 de l de bouillon
1/4 de l de lait
4 c.à s. d'herbes hachées
(persil, aneth, cerfeuil,
ciboulette)
sel, poivre
sel à l'ail
4 c.à s. de gouda mi-
vieux râpé
1 oeuf

Couper l'oignon et le faire revenir dans le beurre. Ajouter la farine et laisser brunir un peu. Y verser le bouillon. Remuer avec un fouet, amener à ébullition et laisser cuire. Ajouter le lait. Laisser cuire le tout 5 mn. Ajouter les herbes et assaisonner la soupe avec le sel et le poivre. Mélanger un jaune d'oeuf à un peu de soupe chaude et remettre le tout dans la soupe. Ajouter à la soupe 3 c.à s. de fromage râpé. Servir la soupe après y avoir déposer le reste du fromage râpé.

Waterzooi à la gantoise

1 poulet
1 bouquet garni
100 g de céleri rave
2 oignons
3 poireaux
1 fenouil
1 carotte
1/4 l de crème
2-3 c.à s. de persil haché
poivre et sel
50 g de beurre
40 g de farine
2 l d'eau

Faire cuire le poulet dans l'eau additionnée d'un bouquet garni. Le découper et le garder au chaud. Tamiser le bouillon.
Emincer très finement les légumes et les étuver dans un peu de beurre. Préparer un roux avec le beurre, la farine et le bouillon (2l) et ajouter les légumes émincés. Laisser cuire quelques instants. Assaisonner de poivre et de sel et introduire la crème.
Disposer le poulet dans une terrine profonde et napper de sauce. Décorer de persil et servir immédiatement.

Soupe de légumes

1 l de bouillon
30 g de vermicelles
5 petites carottes
petit morceau de chou-
fleur
50 g de choux de Bruxel-
les (ou petits pois frais)
1/2 poireau
50 g de haricots verts
2 c.à s. de beurre
persil

Chauffer le bouillon dans une casserole adéquate et y faire cuire le vermicelle ± 10 mn.
Entre-temps nettoyer et couper les carottes, le chou-fleur, les choux de Bruxelles, le poireau, les haricots verts.
Faire fondre le beurre dans une casserole et y faire frémir tous les légumes, sur feu doux.
Ajouter un soupçon d'eau et cuire à l'étouffée 10 mn.
Incorporer alors les légumes au bouillon. Parsemer de persil.

Suprême de poulet, recette p. 29

Soupe à la queue de boeuf

50 g de beurre
400 g de queue de boeuf
2 oignons
5 petites carottes
1/2 branche de céleri
1 1/4 l d'eau
8 grains de poivre
1 morceau de macis
2 clous de girofle
sel
quelques gouttes de sauce Worcestershire
un soupçon de madère
3 c.à. s. de crème
1 c.à. s. d'amandes grillées

Faire fondre le beurre dans une casserole. Y brunir les queues de boeuf bien coupées, les morceaux de carottes, les oignons finement hachés et le céleri coupé en morceaux.
Mettre le tout dans une grande casserole. Verser l'eau et chauffer. Ecumer régulièrement.
Ajouter les grains de poivre moulus, les clous de girofle, le macis et le sel. Les queues de boeuf doivent cuire ± trois heures. Passer la soupe au tamis.
La laisser refroidir et écumer. Retirer la viande des légumes et la découper en petits carrés.
Chauffer un plat pour y servir la soupe, ajouter la viande et épicer avec la sauce Worcestershire et le madère. Servir la soupe dans des bols préchauffés, garnie de crème et d'amandes.
Variante: battre deux oeufs dans une soupière. Les incorporer dans la soupe en continuant à fouetter.

Soupe à la purée de pois

250 g de pois cassés
2 l d'eau
1/2 tranche de jambon
10 g de sel
1 poireau
1 petit céleri rave
1/2 botte de céleri
1 saucisse fumée

Laver les pois et les faire tremper 12 à 24 h. dans de l'eau.
Les cuire avec l'eau, le jambon et le sel durant 2 h 1/2 sur un feu doux.
Ajouter le poireau et le céleri rave lavés et coupés menu, ainsi que le céleri haché et la saucisse.
Faire cuire la soupe 30 mn à feu doux.
Retirer la tranche de jambon. La couper en dés. Découper la saucisse de la même façon et la remettre avec le jambon dans la soupe.
Servir la soupe avec du pain gris et du lard ou du pain grillé.

Soupe de marrons

1 petit céleri rave
1 oignon
400 g de purée de marrons
2 c.à s. de farine
8 dl de bouillon en cubes
2 dl de crème fraîche
Madère

Hacher menu le céleri et le faire frémir avec l'oignon dans du beurre.
Tout en remuant ajouter la purée de marrons et la farine. Ajouter le bouillon graduellement.
Laisser cuire lentement sur un feu doux et y battre la crème. Chauffer la soupe convenablement - elle ne doit pas cuire.
Ajouter un soupçon de madère au moment de servir.

Soupe aux anguilles

1 1/4 l d'eau
sel
300 g d'anguilles très minces
un morceau de macis
6 grains de poivre
2 c.à s. de cerfeuil finement haché
30 g de beurre

Faire chauffer l'eau avec un peu de sel.
Ajouter les anguilles avec le macis et les grains de poivre moulus et faire cuire 5 mn.
Retirer les anguilles de la casserole. Ajouter l'oseille et les deux cuillers de cerfeuil et laisser cuire 15 mn à feu doux.
Tamiser le bouillon. Oter les arêtes des poissons et les réduire en morceaux.

30 g de farine
1 oeuf
oseille

Faire fondre le beurre dans une grande casserole et faire un roux avec la farine. Tout en continuant à remuer, ajouter le bouillon par lampées.
Laisser cuire la soupe 10 mn sur feu très doux. Ajouter les morceaux d'anguilles.
Battre l'oeuf dans une soupière. Y verser la soupe en continuant de remuer. Parsemer la soupe avec le reste du cerfeuil.

Soupe de moules marinières

1 kg de moules
2 1/2 dl d'eau
5 petites carottes
1 petit oignon
1 petit poireau
1/2 céleri rave
50 g de beurre
sel
sauce de soja

Nettoyer les moules, les vérifier et les cuire 10 mn dans l'eau. Les laisser égoutter et garder le jus de cuisson.
Nettoyer et hacher menu les carottes, l'oignon, le poireau, le céleri. Faire fondre le beurre dans une grande casserole. Ajouter les légumes et les écumer après 20 mn de cuisson.
Ajouter le jus de cuisson des moules et les moules écalées. Remettre tout à cuire et épicer avec le sel et la sauce de soja.
On peut lier la soupe avec de la fécule de pommes de terre.
Variante: Battre deux jaunes d'oeufs dans 1/2 dl de crème fouettée. Continuer à remuer tout en incorporant à la soupe.

Velouté de moules au citron

3 poireaux
1 grosse pomme de terre
2 échalotes
40 g de beurre
1 kg de moules
1 1/2 dl de vin blanc sec
2 jaunes d'oeufs
2 dl de crème
le jus d'un demi-citron
sel, poivre
1/2 l d'eau

Nettoyer la partie blanche des poireaux. La laver et la découper en petits morceaux. Peler la pomme de terre et la couper en deux. Eplucher les échalotes et les hacher menu.
Chauffer le beurre dans une poêle. Y faire frire le poireau et les échalotes 10 mn sur feu doux jusqu'à ce qu'ils soient bien bruns. Ajouter la pomme de terre et 1/2 l d'eau et étuver le tout au bout de 20 mn. Entre-temps gratter les moules et les retirer de leur coquille avec un couteau (écarter les moules abîmées). Les laver et les mettre dans une casserole avec le vin blanc. Les laisser s'ouvrir à feu vif.
Quand toutes les moules sont ouvertes, retirer la casserole du feu et sortir les moules de leurs coquilles.
Tamiser le jus de cuisson des moules au travers d'un linge. Incorporer le liquide à la préparation obtenue avec les poireaux. Cuire 20 mn. Battre les jaunes d'oeufs avec la crème.
Retirer le bouillon du feu et le passer au mixer. Réchauffer dans la casserole et mélanger avec la crème à l'oeuf et le jus de citron. Ajouter sel et poivre et enfin les moules. Réchauffer 2 mn (ne pas faire cuire) et servir immédiatement.
Accompagner de toasts ronds beurrés.

Soupe d'avocats

2 avocats mûrs
1 1/2 l de bouillon de poule dégraissé
2 jaunes d'oeufs
1 cl de jus de citron

Chauffer le bouillon de poule.
Partager les avocats en deux et mixer la chair avec le jus de citron. Ajouter au mélange ainsi obtenu les jaunes d'oeufs et la crème. Incorporer le tout au bouillon bien chaud. Saler, poivrer.

175 g de viande de pou-
let rôti
1 dl de crème fraîche
sel, poivre

Déposer la viande coupée en morceaux sur des assiettes à soupe. Recouvrir de soupe.

Soupe de concombres

2 concombres
1 grosse tomate
1 l d'eau
40 g de beurre
40 g de farine
sel, poivre
1/2 c.à c. de jus de citron
1/2 c.à s. de persil

Peler les concombres et la tomate et les découper en petits carrés.
Ajouter 1 l d'eau et une pincée de sel.
Une fois les légumes cuits, les passer au tamis.
Chauffer du beurre dans une casserole et ajouter la farine en remu-
ant jusqu'à obtention d'une crème lisse.
Toujours en remuant incorporer alors la crème de légumes pour ob-
tenir une soupe bien liée.
Saler, poivrer. Parfumer au jus de citron et au persil.

Soupe froide de concombre

1 concombre
1 oignon haché menu
huile
2 1/2 dl de bouillon en
cubes
2 c.à c. de feuilles de
menthe
2 1/2 dl de lait
2 1/2 dl de yoghourt
sel, poivre

Couper la moitié du concombre et la faire brunir dans l'huile avec
l'oignon haché.
Ajouter le bouillon, les feuilles de menthe, le lait, le sel et le poivre.
Passer la moitié de la soupe dans un tamis et la mélanger au restant
de soupe et au yoghourt.
Garnir la soupe avec la partie de concombre fraîche.

Soupe de mandarines

1 boîte de mandarines
1/2 livre de boeuf
1 tablette de bouillon
2 oignons
3 carottes coupées en
morceaux

Préparer un bouillon de viande avec 1 l d'eau, le boeuf, la tablette
de bouillon, un oignon et les carottes.
Ajouter la boîte de mandarines et un oignon coupé en rondelles. Cuire
encore 5 mn.
On peut aussi utiliser du poulet coupé en tous petits morceaux.

Soupe arc-en-ciel

1 oignon
2 gousses d'ail
1 piment rouge
2 petites courgettes
100 g de haricots verts
50 g d'olives noires
5 ou 6 feuilles de menthe
fraîche
2 anchois
100 g de bacon
3 c.à s. d'huile
1 l de bouillon de poule
300 g de tomates mûres

Peler l'ail et l'oignon et les hacher menu. Laver et découper le piment - enlever les graines - en très très petits morceaux. Eplucher
les courgettes et les découper en petits carrés.
Nettoyer les haricots. Les laver et les couper en 3 ou 4. Dénoyauter
les olives. Laver la menthe. La mélanger aux anchois avec une fourchette. Couper le bacon en petits blocs.
Chauffer l'huile dans une casserole et y frire l'oignon et le bacon.
Au bout de 3 mn ajouter les légumes, les olives et la préparation d'anchois. Laisser cuire 5 mn à feu très doux. Remuer sans arrêt.
Réchauffer le bouillon préparé selon la recette de base.

Soupe avec herbes et fromage, recette p. 34

sel, poivre

Eplucher les tomates en les plongeant d'abord sous l'eau chaude puis sous l'eau froide. Oter les pépins et les couper en morceaux. Laisser mijoter encore 15 mn avec les autres légumes.

Ensuite jeter le bouillon par-dessus. Saler modérément (les anchois sont déjà salés), incorporer les piments et laisser cuire encore 15 mn sur feu doux.

Soupe rapide

1 l de bouillon de poule
+ viande
40 g de beurre
40 g de farine
1 c.à c. de jus de citron
1 c.à s. de maggi haché
1 c.à s. de persil haché
1 c.à s. de ciboulette hachée menu
1 petit verre de sherry
sel, poivre

Faire fondre le beurre dans une casserole. Faire un roux avec la farine. Tout en continuant à remuer, incorporer le bouillon, puis la viande, le jus de citron, le maggi, le persil.

Epicer avec le sel, le poivre et le sherry.

Soupe à la tomate et au poireau

1 l de soupe de tomates
en boîte
1 poireau
1 c.à c. de basilic
1/2 c.à c. de curry
2 c.à s. de crème de café

Préparer la soupe selon les indications de la boîte.

Découper le poireau en rondelles. Le laver et l'ajouter à la soupe avec les épices. Laisser cuire environ 5 mn.

Ajouter la crème de café au dernier moment.

Bouillon "pot-au-feu"

1 queue de boeuf
coupée en morceaux
1 os à la moelle
1 kg de boeuf maigre
1 kg de boeuf entrelardé
sel, poivre
1 branche de thym
6 branches de persil
1 zeste d'orange râpé
3 oignons
2 feuilles de laurier
3 clous de girofle
6 carottes
4 navets
6 branches de céleri blanc
8 poireaux (uniquement
le blanc)
2 gousses d'ail

Mettre les morceaux de queue de boeuf dans une grosse casserole avec 4 l d'eau froide. Ajouter ensuite l'os à la moelle.

Cuire 45 mn. Ecumer régulièrement.

Lier toute la viande avec une ficelle et la mettre dans la casserole. Ecumer. Ajouter une cuiller à soupe de sel et un verre d'eau.

Quand l'eau bout de nouveau, recommencer à écumer sans arrêt. Incorporer le thym, le persil et le zeste d'orange râpé.

Faire cuire le tout durant trois heures (ou une heure 10 mn à la marmite à pression). Poser le couvercle en biais.

Peler les oignons. Piquer chacun d'une feuille de laurier et de clou de girofle.

Nettoyer les légumes, les laisser tremper. Lier le céleri et les poireaux. Nettoyer l'ail.

45 mn avant la fin de la cuisson de la viande, jeter les légumes, les oignons et l'ail dans la casserole. Pendant que tout cuit, écumer et ajouter le poivre.

Rajouter l'os à moelle 30 mn avant la fin de la cuisson. Ecumer. Retirer la viande de la casserole et la faire égoutter. Poser cette viande sur un plat avec un soupçon de bouillon et garder chaud.

Retirer les légumes, les oignons et l'ail de la casserole et délier. Couper les carottes et les navets dans le sens de la longueur. Les poser tout autour de la viande ou sur un autre plat.

Tamiser le bouillon et en retirer le gras.

Harira

125 g de lentilles
1 gros oignon
250 g d'épaule de mouton
1/2 c.à d. de poudre de gingembre
1 pincée de safran
sel, poivre
100 g de beurre
3 grosses tomates bien mûres
80 g de riz
2 c.à s. de farine
2 c.à s. de persil finement haché
2 c.à s. de coriandre frais haché menu
jus d'un citron

La veille: laver les lentilles (écarter les mauvaises) dans de l'eau fraîche et les laisser tremper ainsi.

Le jour suivant: retirer les lentilles et les mettre dans une grosse casserole. Peler l'oignon et le hacher menu. Couper le mouton en petits blocs. Ajouter l'oignon aux lentilles ainsi que la viande, le gingembre et le safran. Couvrir d'1 1/2 l d'eau et porter la casserole sur feu doux.

Quand le contenu bout, incorporer 50 g de beurre, un peu de sel et cuire la soupe à l'étouffée durant 1 1/2 heure (ou 30 mn dans la marmite à pression).

Laver alors les tomates, les couper en quatre, les passer au mixer et ajouter cette purée à la soupe. Remettre à cuire.

Laver le riz, jeter l'eau et ajouter le riz à la soupe.

Travailler la farine dans 1/2 l d'eau jusqu'à obtention d'une pâte lisse et, tout en remuant, l'incorporer à la soupe quand le riz a cuit 15 mn. Prolonger la cuisson 10 mn.

Ajouter le persil haché et le coriandre, le beurre et le jus de citron. Poivrer. Encore 5 mn de cuisson et c'est prêt. Servir de suite.

Soupe écossaise (Broth)

2 poireaux
2 carottes
2 navets
1/2 branche de céleri blanc
1 oignon
500 g d'épaule de mouton
1 feuille de laurier
3 c.à s. de gruau
sel, poivre en grains

Nettoyer les légumes, les éplucher et les laver. Couper les poireaux en petits blocs, les carottes en rondelles et les navets en morceaux. Couper le céleri très très fin.

Mettre la viande de mouton avec de l'eau dans une casserole. Ajouter le laurier. Entretenir la cuisson. Ecumer. Cuire 15 mn et incorporer alors tous les légumes, le gruau et le sel. Verser de l'eau de telle sorte qu'elle recouvre tout et laisser cuire, casserole fermée, sur un feu doux durant 1 1/2 heure (ou 40 mn dans la marmite à pression).

Retirer alors l'épaule de mouton. Détacher la viande et la mettre dans la soupe. Jeter l'os. Laisser la soupe encore 1 mn sur le feu. Servir de suite. Poivrer.

Cette soupe contient deux ingrédients typiquement écossais: le mouton et le gruau. On la mange aussi en Grande-Bretagne. Le "broth" est une soupe "écossaise". On peut si l'on veut y ajouter encore une pincée de persil bien haché.

Entrées chaudes

Ris de veau sur canapé

200 g de ris de veau
4 tranches de jambon cuit
4 toasts
2 oignons
1 tomate ou 1 poivron rouge
10 g de farine
20 g de beurre
1,5 dl de jus de cuisson des ris
1,5 dl de crème
poivre, sel et persil
laitue

Tremper le ris dans de l'eau froide jusqu'à ce qu'ils soient bien blancs. Les rincer à l'eau bouillante puis à l'eau froide et en retirer les membranes.
Les mettre à cuire pendant 15 mn dans de l'eau bouillante salée puis les hacher.
Faire fondre 1 c.à s. de beurre et préparer une sauce épaisse avec la farine et le jus de cuisson de la viande.
Ajouter les ris et la crème dans cette sauce, relever de poivre et de sel.
Beurrer les toasts et les recouvrir de jambon.
Couper les oignons en fines rondelles et les faire dorer dans du beurre.
Répartir sur les toasts, recouvrir de ris en sauce et servir sur un lit de laitue garni de tomates, ou de poivron rouge et de persil.

Quiche aux brocolis

1 paquet de pâte feuilletée surgelée
1 paquet de brocolis surgelés de 400 g
2 gousses d'ail
3 à 4 oeufs
1 dl de lait
150 g d'emmenthal ou de gruyère râpé
sel et poivre
tomates

Laisser dégeler la pâte selon les indications mentionnées sur son emballage et remplir un moule à tarte à hauts bords avec celle-ci.
Répartir les brocolis dégelés sur la pâte.
Battre les oeufs avec le lait, l'ail, le sel et le poivre et verser ce mélange sur les brocolis. Parsemer de fromage.
Mettre à cuire pendant 30 mn dans un four préchauffé à 220 °C. La quiche est cuite lorsque le mélange aux oeufs est bien pris et doré.
Démouler précautionneusement et servir bien chaud, accompagné d'une salade de tomates.

Champignons farcis aux crevettes

20-24 gros champignons
150 g de crevettes grises
4 échalotes
2 carottes râpées
1/2 c.à c. d'aneth
50 g de beurre
20 g de farine
1/4 l de lait
1 citron
sel, poivre, ail, persil

Laver les champignons, en retirer délicatement les queues et arroser de jus de citron.
Faire fondre le beurre dans un poêlon et le laisser prendre couleur.
Y ajouter les échalotes hachées et les carottes et laisser étuver le tout pendant quelques mn.
Ensuite, y introduire les crevettes et poursuivre la cuisson à feu doux.
Préparer une béchamel avec le beurre, le lait, et la farine et l'assaisonner de jus de citron, sel, poivre, ail et aneth. Remplir les chapeaux des champignons avec cette sauce repartir dessus le mélange aux crevettes et les disposer dans un plat à four.
Enduire les bords des champignons de beurre à l'aide d'un pinceau.

Soupe piquante de poulet, recette p. 2

Mettre à gratiner pendant 10 mn dans un four préchauffé à 180 °C. Servir immédiatement avec des toasts.

Coquilles Saint-Jacques

2 boîtes de coquilles Saint-Jacques
250 g de champignons frais
40 g de beurre
40 g de farine
1/4 l de lait
2 gousses d'ail
50 g de fromage râpé
1 c.à s. de chapelure

Laisser bien égoutter les coquilles. Ajouter le jus de conservation au lait jusqu'à obtenir 1/2 l de liquide.
Faire revenir les champignons dans le beurre, parsemer de farine, et en tournant continuellement, préparer une sauce épaisse en ajoutant le mélange au lait.
Laisser la cuisson se poursuivre doucement pendant quelques minutes, puis ajouter l'ail pressé et le fromage à la sauce.
Lorsque le fromage est fondu, incorporer délicatement les coquilles à la préparation précédente.
Verser le tout dans un plat à four, parsemer de chapelure et mettre à gratiner dans un four préchauffé à 220 °C.
Servir immédiatement.

Champignons sauce tartare

500 g de petits champignons
100 g de farine
250 g de yaourt
4 oeufs
150 g de chapelure
poivre et sel
250 g de mayonnaise
1 c.à s. de fines herbes (persil, ciboulette...)
1 cornichon très finement émincé
1 c.à c.de moutarde

Mélanger la mayonnaise, le yaourt et les autres ingrédients.
Nettoyer et sécher les champignons.
Battre les oeufs avec du poivre et du sel.
Tourner les champignons dans la farine, puis dans les oeufs et ensuite dans la chapelure.
Réchauffer la friture à 175 °C et y faire dorer les champignons.
Les laisser égoutter sur du papier absorbant.
Accompagner de tartare et de baguette.

Escargots

1 boîte d'escargots (24 pièces)
24 coquilles d'escargots
120 g de beurre
4 échalotes
4 gousses d'ail
10 g de persil
poivre et sel

Laisser égoutter les escargots.
Hacher les échalotes et le persil, presser l'ail et ajouter tous ces ingrédients ainsi que le sel et le poivre au beurre.
Remplir les coquilles avec ce beurre aromatisé et les escargots, fermer bien l'ouverture avec du beurre.
Placer ces escargots sur des assiettes spéciales, l'ouverture tournée vers le haut et les passer au four pendant 8 à 10 mn.
Servir avec du pain baguette ou des toasts.

Ramequins de crevettes à la brugeoise

400 g de crevettes épluchées

Couper les oeufs en rondelles et les faire revenir dans du beurre.
Ajouter les crevettes, la crème, l'aneth, du sel et du poivre et mélan-

2 c.à s. d'aneth haché
2 c.à s. de beurre
4 oeufs cuits durs
4 c.à s. de crème
3 c.à s. de fromage râpé
sel et poivre

ger délicatement tous ces ingrédients. Laisser la cuisson se poursuivre pendant 1 à 2 mn.

Répartir cette préparation dans les ramequins ou des coquilles et parsemer de fromage.

Mettre à gratiner dans un four préchauffé à 200 °C.

Servir immédiatement, éventuellement accompagné de pain baguette.

Bouchées à la reine

1 poulet
500 g de champignons
100 g de fromage râpé
250 g de haché préparé
100 g de farine
100 g de beurre
1/2 l de bouillon
1/2 l de lait
2 jaunes d'oeufs
4 croustades
1 citron
Worcester sauce
poivre
sel
persil

Faire cuire le poulet, le désosser et le couper en morceaux.

Préparer des boulettes avec le haché et les mettre rapidement à cuire dans le bouillon. Préparer une sauce avec le beurre, la farine, le lait et les jaunes d'oeufs et relever de fromage, sel, poivre, jus de citron et Worcester sauce.

Emincer les champignons et les cuire. Introduire délicatement le poulet, les boulettes et les champignons dans la sauce.

Lorsque cette préparation est bien épaisse, en remplir les croustades. Garnir de quelques brins de persil et servir.

Ris de veau

500 g de ris de veau
300 g de champignons
1 petite boîte de coeurs
d'artichauts
1/4 l de crème
jus de citron
50 g de beurre
40 g de farine
sel, poivre, persil haché

Tremper les ris pendant quelques heures dans de l'eau froide.

Les arroser d'eau bouillante, puis d'eau froide, et en retirer les membranes. Couper les ris en morceaux et les mettre à cuire pendant une quinzaine de minutes dans de l'eau salée.

Les retirer de leur eau de cuisson et les garder au chaud. Couper les champignons en tranches, les faire revenir pendant 5 mn dans du beurre, puis ajouter les coeurs d'artichauts et saupoudrer de farine. Préparer une sauce épaisse en y ajoutant le jus de cuisson de la viande et la crème. Relever avec le jus de citron et les épices.

Placer les ris de veau au milieu d'un plat, napper de sauce et décorer de persil.

Entourer le plat de purée et laisser gratiner quelques mn au four.

Crêpes aux champignons

200 g de champignons
1 petit oignon
sel et poivre
20 g de beurre
20 g de farine
4 c.à s. d'emmenthal
râpé
1 c.à s. de jus de citron
125 g de farine
2 oeufs
1/8 l d'eau
1/8 l de lait entier
1 c.à s. d'huile

Tamiser la farine dans une terrine, ajouter les oeufs, le lait, l'eau et l'huile et travailler le tout en une pâte lisse.

Laisser reposer cette pâte pendant 1 h. Ensuite, cuire des petites crêpes fines et les garder au chaud dans le four.

Laver et nettoyer les champignons et couper l'oignon épluché en dés. Faire fondre le beurre dans un poêlon. Y mettre l'oignon à dorer. Parsemer de farine et préparer un roux. Ajouter les champignons émincés à la sauce, relever de poivre et de sel. Cuire encore env. 5 mn. jusqu'à obtention d'une sauce bien épaisse.

Enduire les crêpes avec cette sauce. Les enrouler et les disposer dans un plat à four beurré. Parsemer de fromage râpé. Répartir quelques noisettes de beurre sur le plat et mettre à gratiner sous le gril. Servir immédiatement.

Asperges à la flamande

2 kg d'asperges
6 oeufs cuits durs
100 g de beurre
1/2 botte de persil haché
sel, sucre, poivre

Eplucher les asperges et les mettre à cuire pendant 20-25 mn à feu doux dans de l'eau salée-sucrée.
Entre-temps écaler les oeufs durs, écraser les blancs d'oeufs et passer les jaunes à travers un tamis.
Faire fondre la moitié du beurre dans un poêlon, y ajouter le jaune d'oeuf, le sel et le poivre.
Faire également fondre le reste du beurre.
Retirer les asperges de leur eau de cuisson et les mettre à égoutter sur un linge propre. Recouvrir un plat de service allongé d'une serviette. Y disposer les asperges toutes les pointes tournées dans la même direction. Napper de sauce aux jaunes d'oeufs et de blanc d'oeuf haché.
Garnir de persil et servir immédiatement avec la sauce chaude au beurre.

Omelette au camembert et aux champignons

250 g de camembert bien fait
8 oeufs
50 g de beurre
250 g de champignons émincés
1 oignon
sel et poivre

Faire revenir les champignons et l'oignon dans un peu de beurre. Relever de poivre et de sel.
Battre les oeufs et préparer quatre petites omelettes. Répartir le camembert et le mélange champignons-oignon sur ces omelettes. Laisser la cuisson se poursuivre à feu doux pendant 3 mn et servir chaud.

Croissants au jambon et fromage

4 croissants
2 tranches de jambon cuit
50 g de fromage râpé
30 g de beurre
30 g de farine
2 dl de lait
jus de citron
quelques gouttes de Worcestershire sauce
sel et poivre

Faire un roux avec le beurre, la farine et le lait. Relever de jus de citron, sel, poivre et Worcestershire sauce.
Couper le jambon en dés et l'introduire dans la sauce.
Couper les croissants en deux, les farcir de sauce et les saupoudrer de fromage.
Mettre à gratiner pendant 5 à 10 mn au four et servir chaud.

Fenouil au fromage

4 petits fenouils
200 g de fromage râpé

Laver les fenouils, les nettoyer et les couper en dés. Les mettre à cuire pendant 10 à 15 mn dans de l'eau légèrement salée. Egoutter.

Crème de cerfeuil, recette p. 33

6 c.à s. de beurre
2 c.à s. de persil

Faire fondre le beurre dans un poêlon jusqu'à ce qu'il prenne couleur. Répartir le fenouil dans des ramequins individuels, parsemer de fromage et arroser avec le beurre fondu.
Décorer de persil et servir immédiatement.

Moules en papillotes de lard

48 moules cuites (évent. surgelées)
24 très fines tranches de lard fumé maigre
persil et laitue
8 piques en bois

Laisser bien égoutter les moules. Couper les tranches de lard en deux et envelopper chaque moule d'une demi-tranche de lard.
Enfiler 6 moules sur chaque pique et mettre ces brochettes à dorer dans une friture portée à 175 °C.
Servir bien chaud sur des feuilles de laitue parsemées de persil.

Spaghetti sauce tomate

500 g de haché de porc et veau
beurre
1 oignon
2 carottes râpées
2 gousses d'ail
1 c.à c. d'origan
1 c.à c. de romarin
1 grande boîte de tomates pelées
500 g de spaghetti
150 g de fromage râpé

Faire revenir le haché dans le beurre.
Ajouter l'oignon, les carottes et l'ail et laisser dorer le tout. Relever avec les épices et ajouter les tomates pelées. Prolonger la cuisson pendant 20 mn à petit feu.
Entre-temps faire cuire les spaghetti dans de l'eau salée (ils doivent encore être légèrement croquants). Les disposer dans un plat après les avoir soigneusement égouttés.
Napper de sauce, servir le fromage à part.

Croquettes de crevettes

200 g de beurre
200 g de farine
200 g de crevettes grises épluchées
50 g de fromage râpé
60 cl de lait
3 oeufs
chapelure

Faire fondre le beurre dans un poêlon, ajouter la farine et travailler en un roux épais en y incorporant le lait et les jaunes d'oeufs.
Laisser cuire pendant 3 mn en tournant continuellement. Retirer le poêlon du feu et incorporer le fromage et les crevettes dans la sauce. Parsemer la table de travail de farine et poser le mélange précédent sur celle-ci. Le laisser refroidir.
Le découper en lanières de 3 cm de large et de 5 cm de long et former des croquettes. Les passer dans la farine, dans le blanc d'oeuf puis dans la chapelure.
Faire chauffer la friture à 175 °C et y mettre les croquettes à dorer. Les faire égoutter sur du papier absorbant et accompagner de persil frit et de rondelles de citron.

Champignons flambés

500 g de champignons entiers
herbes fraîches (marjolaine, basilic, romarin, thym)

Laver les champignons et les faire revenir dans du beurre mélangé avec le jus de citron.
Hacher les fines herbes et l'ail, mélanger ces ingrédients avec la crème et verser le tout sur les champignons. Laisser la cuisson se pour-

2 gousses d'ail
2 c.à s. de vin blanc
1 petit verre de cognac
1/8 l de crème
1 citron
1 c.à s. de farine
beurre
sel et poivre

suivre pendant quelques minutes sans laisser bouillir. Relever de sel, poivre et vin blanc. Si la sauce est trop liquide lier avec la farine. Flamber au cognac et servir immédiatement, accompagné de pain baguette.

Scampi à la française

500 g de scampi
300 g de crevettes
300 g de champignons en morceaux
1 boîte de bisque de homard
4 c.à s. de crème
1 petit verre de Pernod
1 oignon
farine
1 c.à s. de beurre
poivre et sel

Tourner les scampi dans la farine et les mettre à dorer dans le beurre. Ajouter les morceaux de champignons et l'oignon émincé et prolonger la cuisson jusqu'à ce que l'oignon soit cuit.
Ajouter les crevettes et flamber au Pernod. Incorporer la bisque de homard dans la préparation, laisser reprendre la cuisson et relever de poivre, sel et crème.
Accompagner de pain grillé et frotté à l'ail.

Scampi flambés à la crème

16 scampi cuits et décortiqués
1/2 l de crème
4 c.à s. de tomato ketchup
1 c.à s. de curry
poivre noir, sel
cognac
1 c. à s. de beurre
1 c.à s. de persil haché

Faire revenir les scampi dans du beurre et les flamber au cognac. Les retirer de la poêle et les garder au chaud. Ajouter du curry, du ketchup, du persil, du poivre noir fraîchement moulu et du sel au jus de cuisson et laisser réduire le tout.
Allonger à la crème et ajouter le persil. Disposer les scampi sur les assiettes individuelles préchauffées et les napper de sauce. Accompagner de pain baguette.

Riz aux moules

200 g de riz cuit
1 petite boîte de tomates pelées
1 bocal de moules au naturel
1 pincée de safran
1 petit oignon
fromage râpé
cresson de fontaine
poivre et sel

Etuver l'oignon émincé avec les tomates. Relever de poivre, sel et safran.
Ajouter le riz et les moules égouttées.
Répartir cette préparation sur des assiettes individuelles et décorer de cresson de fontaine. Servir bien chaud et accompagner de fromage râpé.

Coquilles de poisson à l'ostendaise

1/2 kg de légumes pour potage
400 g de cabillaud
100 g de crevettes

Mettre les légumes à cuire dans un verre de vin blanc assaisonné de sel et poivre, pendant 15 à 20 mn. Mettre le cabillaud à pocher pendant 20 mn. L'égoutter et le couper en morceaux.

100 g de moules cuites
2 petits verres de vin
blanc sec
1 c.à c. de purée de
tomates
100 g de champignons
(en morceaux)
50 g de beurre
50 g de farine
1/2 l de jus de cuisson
jus de citron
poivre et sel
100 g de fromage râpé
1/8 l de crème
4 coquilles Saint-Jacques
vides

Préparer un roux avec du beurre, de la farine, le jus de citron, et le jus de cuisson. Relever de vin blanc et de purée de tomates, introduire les crevettes, les moules et les champignons et laisser la cuisson se poursuivre pendant quelques instants.

Incorporer encore la crème et le poisson dans la préparation, et remplir les coquilles avec ce mélange. Parsemer de fromage râpé et mettre à gratiner sous un gril chaud pendant 5 mn.

Artichauts surprise

8 petits ou 4 gros
artichauts
80 g d'oignon
40 g de beurre
120 g de champignons
sel, poivre
80 g de pain blanc rassis
sans les croûtes
persil finement haché et
cerfeuil
2 dl de bouillon ou de vin
blanc
80 g de lard fumé
2 bouquets d'herbes

Préparer les artichauts: retirer la tige, ôter les petites feuilles extérieures et couper les pointes dures des autres feuilles. Plonger les artichauts dans de l'eau froide avec du vinaigre afin de les rendre bien nets.

Les mettre dans de l'eau propre dans une casserole et les faire blanchir 15 mn dans l'eau bouillante. Les laisser égoutter et refroidir et les mettre de côté.

Entre-temps préparer la farce. Hacher la moitié de l'oignon et le faire frire doucement dans le beurre fondu sans laisser brunir. Ajouter de l'eau si nécessaire.

Au bout de dix minutes mettre à cuire les champignons sur feu vif avec sel et poivre.

Bien émietter le pain et le mélanger aux herbes finement hachées avec les champignons. Quand la préparation épaissit, la mouiller d'un peu de bouillon ou de vin blanc.

Ouvrir les artichauts et retirer délicatement le foin. Farcir avec le mélange et les refermer avec une petite ficelle afin que la farce ne déborde pas.

Utiliser une casserole où les artichauts sont bien serrés. Frire dans l'huile le restant de l'oignon et le lard coupé en morceaux, sans faire brunir.

Disposer les artichauts avec le bouquet d'herbes. Les mouiller avec le bouillon ou le vin, refermer la casserole et chauffer une heure à feu régulier. Epicer si nécessaire.

Détacher la ficelle des artichauts pour les ouvrir, les déposer dans un plat chauffé et napper avec le liquide cuit.

Coeurs de palmier à la sauce au fromage

50 g de beurre
50 g de farine
50 g de fromage râpé
1/2 l de lait
1 boîte de coeurs de
palmier
sel, poivre, Worcester
sauce, chapelure

Préparer un roux blanc avec le beurre, la farine et le lait et l'assaisonner avec du poivre, du sel et de la Worcester sauce.

Introduire le fromage dans la sauce. Réchauffer les coeurs de palmier dans leur jus de conservation et les laisser égoutter. Les couper en petits morceaux et les ajouter à la sauce fromage. Répartir le tout dans des ramequins en terre cuite.

Parsemer de chapelure et gratiner au four.

Soupe tomate à la mexicaine, recette p. 32

Soufflé aux asperges

500 g de pointes d'asperges
4 oeufs
4 c.à c. de farine
sel et poivre

Faire égoutter les asperges, passer la moitié au mixer avec le jaune d'oeuf et la farine. Assaisonner de sel et de poivre.
Battre le blanc d'oeuf en neige très ferme et l'incorporer délicatement à la préparation aux asperges. Ajouter encore les pointes d'asperges.
Verser le tout dans un plat à four beurré et faire cuire 25 mn dans un four préchauffé à 200 °C.

Fonds d'artichauts au gratin

fonds d'artichauts en boîte
100 g de beurre
50 g de farine
sel
lait
75 g de fromage râpé

Egoutter les fonds d'artichauts et les couper en quatre.
Préparer une sauce au fromage bien lisse avec le beurre fondu, la farine, le sel et le lait. Quand la sauce est bien liée, ajouter 50 g de fromage râpé et remuer. Chauffer.
Remplir les fonds d'artichauts avec cette préparation et parsemer des 25 g de fromage râpé restants. Mettre dans un plat et faire gratiner au four 15 à 20 mn.

Petits pains au ragoût d'oeufs

4 petits pains
1 oignon
25 g de beurre
25 g de farine
lait
sel, poivre
1 c.à c. de poudre de cari
1 c.à c. de persil
1 c.à c. de moutarde
4 oeufs durs

Evider les pains.
Ecraser l'oignon haché menu dans le beurre et ajouter la farine jusqu'à obtenir une pâte bien lisse.
Incorporer le lait graduellement et cesser de remuer. Epicer la sauce avec le sel, le poivre, la poudre de cari, le persil et la moutarde.
Ajouter maintenant les oeufs bien écrasés et mélanger le tout.
Etendre ce ragoût sur les petits pains et les mettre à griller 5 à 10 mn jusqu'à ce que les pains soient croquants.

Pamplemousses grillés

2 pamplemousses
sherry
miel
1 c.à s. de sucre brun
noix

Couper les pamplemousses en deux. En détacher les quartiers avec un couteau. Verser quelques gouttes de sherry dessus et couvrir chaque quartier d'une cuiller à café de miel.
Recouvrir maintenant de sucre les quatre moitiés de pamplemousse. Garnir avec les noix épluchées et coupées en deux. Mettre sur le gril et faire cuire jusqu'à ce que le dessus brunisse.

Soufflé de tomates

4 tomates bien fermes
45 g de beurre
15 g de farine
3 oeufs

Etêter les tomates et les évider.
Bien écraser la pulpe ainsi obtenue et ajouter le beurre, la farine, les jaunes d'oeufs, le poivre et le sel. Incorporer délicatement la crè-

170 g de fromage
mi-vieux
1 1/2 dl de crème pour
café
sel et poivre

me. Battre jusqu'à obtention d'une crème bien lisse.
Ajouter les blancs d'oeufs battus en neige au mélange et farcir les
tomates avec ce mélange.
Mettre le plat à cuire au four chaud durant 10 à 15 mn jusqu'à ce
que les tomates aient une croûte dorée.

Harengs farcis

4 harengs
175 g de mie de pain
persil
1 oignon
sel, poivre
1 c.à c. d'ail pressé
1 c.à c. d'origan
1 pomme râpée
3 tomates
4 tranches de citron

Entailler le ventre des harengs une fois qu'ils sont bien nettoyés.
Retirer la pulpe des tomates et l'écraser avec la mie de pain, du persil finement haché, l'oignon haché menu, le sel et le poivre, l'ail,
l'origan et la pomme râpée.
Remplir les harengs avec cette préparation et les cuire dans un vaste
plat beurré. Mettre au four à 200 °C. Laisser cuire 25 mn.
Décorer les harengs avec une tranchette de citron et une branche de
persil.

Concombres farcis

1 concombre
30 g de beurre
30 g de lait
2 1/2 dl de farine
1/2 c.à c. de paprika
sel, poivre
2 c.à s. de crème fraîche
200 g de fromage râpé

Laver le concombre et le diviser en quatre parts égales. Les couper
en deux dans le sens de la longueur.
En retirer la chair, la hacher et faire cuire rapidement 6 à 8 mn dans
de l'eau salée.
Préparer une sauce avec le beurre, la farine et le lait. Quand elle est
bien liée, ajouter le sel, le poivre et le paprika, la crème, le fromage
râpé et la pulpe de concombre.
Laisser chauffer un moment puis farcir les concombres avec ce mélange. Servir chaud.

Bouchées au fromage

100 g de champignons
2 c.à s. de beurre
3 c.à s. de farine
3 dl de lait
100 g de fromage râpé
1/2 c.à c. d'arôme
1 1/2 c.à c. de bouillon
liquide
4 bouchées

Laver les champignons et les hacher menu.
Faire fondre le beurre et y ajouter la farine.
Tout en remuant ajouter le lait jusqu'à obtention d'une sauce bien
consistante. Verser alors le fromage et les champignons. Ne pas ar-
rêter de remuer. Donner du goût avec l'arôme et le bouillon.
Chauffer les bouchées dans un four préchauffé environ 10 mn.
Les remplir avec la sauce au fromage. Servir chaud.

Toasts d'asperges

4 tranches de pain blanc
1 boîte d'asperges
2 c.à s. de mayonnaise
4 tranches de jambon
4 tranches de fromage

Préchauffer le gril durant 5 mn à très haute température. Griller les
tranches de pain dont on aura enlevé la croûte jusqu'à ce qu'elles
soient dorées et les enduire de mayonnaise.
Etendre les tranches de jambon sur les toasts et y répartir les asperges et les enrouler dans le jambon.

Couvrir ces petites roulades d'un morceau de fromage. Rôtir 5 mn et servir immédiatement.

Homard aux épices

2 petites boîtes de homard
3 oeufs
persil
céleri
2 c.à s. de sauce Worcestershire
2 c.à s. de moutarde française
chapelure

Mélanger le persil haché menu, le céleri et les oeufs battus avec le homard et répartir cette préparation dans 4 ramequins.
Préparer une sauce avec la moutarde, la sauce Worcestershire et le sel et la répartir sur le homard.
Couvrir de chapelure, ajouter une noix de beurre et faire gratiner 20 mn à feu très chaud.

Champignons sur canapés

4 petites tranches de pain blanc
150 g de champignons
8 tranches de bacon
sel, poivre
fromage râpé
1/2 c.à c. de paprika

Faire chauffer un fond d'eau dans une casserole et y mettre les champignons. Quand l'eau bout, retirer les champignons.
Chauffer le gril 5 mn, à la plus haute température. Y griller le pain sans ses croûtes.
Poser 2 tranches de bacon sur chaque toast et y répartir ensuite les champignons. Saupoudrer de poivre et de sel.
Couvrir ensuite de quantité raisonnable de fromage râpé. Mettre 5 mn sur le gril jusqu'à ce que le fromage soit fondu. Saupoudrer de paprika.

Poivrons farcis

4 poivrons rouges ou verts
250 g de boeuf émincé
100 g de riz
1 oignon haché menu
100 g de champignons
1 c.à c. de curry
20 g de beurre
fromage râpé
1 c.à s. de chapelure
sel, poivre

Préchauffer le four.
Cuire le riz 5 mn, moins longtemps qu'il n'est indiqué sur le mode d'emploi et le laisser refroidir.
Laver les poivrons et en retirer le sommet, les graines.
Faire fondre le beurre dans un caquelon et y faire frire l'oignon, et tout en agitant, ajouter les champignons hachés.
Ajouter le sel, le poivre, le curry, le fromage et le riz. Cuire le tout et remplir les poivrons avec cette farce.
Verser un léger fond d'eau dans un grand plat allant au four et y poser les poivrons. Les couvrir de chapelure et garnir d'une noix de beurre.
Mettre le plat au milieu du four et laisser brunir 15 à 20 mn. La température du four doit être de 200 à 225 °C.

Tomates farcies au fromage blanc

4 grosses tomates
125 g de fromage blanc

Préchauffer le four à 200 °C.
Etêter les tomates et les évider. Saler et poivrer l'intérieur.

Waterzooi à la gantoise, recette p. 34

sel, poivre
50 g de vieux fromage
râpé
1 c.à s. d'aneth
1 c.à s. de persil
1 c.à c. d'origan

Ecraser la pulpe des tomates et les chapeaux dans un bol et ajouter l'aneth, le persil, l'origan, 35 g de fromage et le fromage blanc. En faire une pâte bien lisse.

Répartir ce mélange dans les tomates et les saupoudrer de fromage râpé.

Les passer au four durant 15 mn dans un grand plat et les laisser bien chauffer.

Omelette jambon-fromage

4 tranches de fromage
mi-vieux léger
4 tranches de jambon
8 oeufs (2 oeufs par
personne)
sauce Worcestershire
sel, poivre
une pincée d'origan

Battre 2 oeufs en une mousse très légère.

Préparer 4 ramequins. Découper en morceaux les tranches de fromage et de jambon. Ajouter la sauce Worcestershire, le sel, le poivre et une pincée d'origan. Bien mélanger le tout et répartir dans les 4 ramequins.

Chauffer une noix de beurre dans une casserole et y mettre la mousse d'oeufs.

Faire lever la masse à feu vif jusqu'à ce qu'elle soit ferme. Préparer les six oeufs qui restent de la même manière.

Soufflé de crabe

1 petite boîte de crabe
(environ 200 g)
1 petit oignon haché
25 dl de crème pour café
4 c.à s. de riz cuit
2 c.à c. de curry
200 g de ketchup
4 oeufs
3 c.à s. de mie de pain
rôtie
20 g de beurre

Faire fondre le beurre et y frire l'oignon avec le curry. Ajouter la crème et chauffer. Ajouter ensuite le riz et la mie de pain.

Laisser le mélange prendre, incorporer en remuant fermement le ketchup, le crabe et les jaunes d'oeufs battus.

Laisser refroidir et y introduire les blancs d'oeufs battus en neige. Beurrer un grand plat allant au four et y poser le tout. Le soufflé doit maintenant monter au bain-marie dans un four à température modérée. Compter une demi-heure.

Moules à l'escargot

2 kg de moules cuites
100 g de beurre tendre
2 gousses d'ail
1 c.à s. de persil haché
menu
1 c.à s. de ciboulette ha-
chée menu
1 c.à c. de basilic
sel, poivre

Disposer les moules avec une coquille dans un grand plat pour le four. Remuer le beurre tendre et ajouter le jus de l'ail, le persil, la ciboulette, le basilic, le sel et le poivre.

Garnir les moules avec une quantité suffisante de beurre préparé et mettre le plat au four préchauffé.

Servir quand le beurre est fondu ou prend couleur. Mettre le four à 225 °C.

Pain Hawaï

4 petits pains blancs
4 tranches de jambon

Laisser l'ananas égoutter.

Beurrer les petits pains et les couvrir d'une tranche de jambon, puis

4 tranches d'ananas en boîte
4 tranches de fromage
1 c.à s. de beurre
paprika

d'une rondelle d'ananas et enfin d'une tranche de fromage. Saupoudrer de paprika.
Mettre les pains 5 à 10 mn sur un gril jusqu'à ce que le fromage soit fondu.

Poivrons sur canapé

4 tranches de pain grillé blanc
1 oignon
2 gros poivrons
2 tomates
sel, poivre
4 tranches de fromage
20 g de beurre
paprika

Faire frémir l'oignon haché dans du beurre et ajouter les poivrons coupés en petits cubes avec les tranches de tomates. Saler, poivrer. Cuire 10 mn à l'étouffée.
Répartir le mélange sur les toasts beurrés et disposer une tranche de fromage par-dessus. Mettre au four préchauffé ou sur le gril jusqu'à ce que le fromage soit fondu.
Parsemer de paprika.

Oeufs farcis au fromage

8 oeufs
1 c.à s. de mayonnaise
1 c.à s. de ketchup
1 c.à s. de moutarde
1 c.à c. de Worcestershiresauce
sel, poivre
100 g de beurre
50 g de farine
lait
50 g de fromage râpé

Cuire les oeufs durs et les diviser en leur milieu.
Ecraser les jaunes d'oeufs avec une fourchette. Fouetter avec la mayonnaise, le ketchup et la moutarde. Donner du goût avec la sauce Worcestershire, le poivre et le sel. Farcir les oeufs avec ce mélange.
Faire fondre 50 g de beurre dans une casserole, y ajouter la farine et un soupçon de lait et battre jusqu'à obtention d'une sauce bien liée. Incorporer le fromage râpé, toujours en remuant.
Verser cette sauce au fromage sur les oeufs, et placer ensuite le tout dans les 50 g de beurre fondu précédemment. Passer les oeufs dans un four préchauffé durant 15 mn.

Avocats Elisabeth

2 avocats
1 petit paquet Mon Chou
1 boîte de saumon
1 tomate
2 c.à s. de cognac ou d'armagnac
2 c.à s. de crème fraîche
sel, poivre
75 g de vieux fromage râpé

Couper les avocats en deux, en enlever le noyau et la chair. Mélanger au paquet de Mon Chou pour obtenir une pâte lisse.
Ajouter le saumon, le cognac ou armagnac, la crème, le sel et le poivre. Mélanger le tout et en farcir les avocats.
Couvrir d'une tranche de tomate et parsemer de fromage râpé. Garnir d'une noix de beurre.
Placer les avocats dans un plat bien graissé et mettre au four préchauffé à la plus haute température. Laisser 10 à 15 mn.

Tomates farcies

4 grosses tomates
1 oignon
250 g de haché
250 g de champignons
2 c.à s. de persil haché menu

Laver les tomates et les étêter. Les vider et écraser la chair et les chapeaux.
Faire frire l'oignon dans du beurre et ajouter le haché. Mettre ensuite les champignons, le persil, la chair des tomates, le poivre et le sel.
Remplir les tomates de cette farce et recouvrir de fromage râpé. Met-

4 c.à s. de fromage râpé
30 g de beurre
sel, poivre

tre dans un four préchauffé durant 10 à 15 mn. Décorer enfin les tomates d'une branche de persil.

Omelette de crevettes et de champignons

8 oeufs
4 c.à s. de lait
1/2 c.à thé de sel
poivre
50 g de beurre
250 g de champignons
jus d'1/2 citron
250 g de crevettes
un peu de cresson

pour la salade:
1 salade
2 c.à s. de yoghourt
maigre
1 c.à s. de vinaigre
1 c.à thé de sel
poivre noir

Mélanger les oeufs, le lait, le sel et le poivre. Ensuite, cuire avec chaque fois 5 g de beurre, 4 omelettes et les garder au chaud.
Nettoyer les champignons, les laver et les couper. Les asperger de jus de citron pour ne pas qu'ils changent de couleur. Laisser revenir les champignons dans le reste du beurre pendant 5 minutes. Ajouter les crevettes et chauffer encore un peu. Assaisonner de poivre.
Remplir les omelettes de ce mélange et les refermer. Garnir de cresson.
Laver la salade et bien laisser égoutter. Faire une sauce avec le yoghourt, le vinaigre, le sel et le poivre et verser sur la salade.

Oeufs sur canapé

100 g d'oignon
120 g de beurre
120 g de champignons
120 g de jambon maigre
1,2 dl de bouillon
2 dl de vin blanc sec
sel, poivre
12 g de truffes
4 tranches carées de pain
blanc sans croûtes
4 oeufs
4 tranches de pâté de foie

Hacher l'oignon très fin. Chauffer 60 g de beurre dans un caquelon et y faire frire l'oignon à feu doux.
Nettoyer les champignons (couper le bout des tiges et laver) et les couper en deux. Les déposer dans le caquelon et augmenter le feu jusqu'à ce qu'ils prennent couleur.
Ajouter le jambon haché avec le bouillon chaud et le vin. Saler, poivrer. Cuire à feu doux jusqu'à obtenir une sauce lisse. Au dernier moment incorporer les truffes.
Entre-temps faire fondre le reste du beurre dans une casserole et y griller les tranches de pain. Chauffer et pocher l'oeuf (bouillir de l'eau et du vinaigre, baisser la flamme, casser l'oeuf dans une tasse et laisser glisser dans la casserole, pocher 3 à 4 mn.).
Le laisser égoutter. Veiller à ce qu'il ait une belle forme.
Déposer le canapé sur une assiette et le couvrir d'abord d'une tranche de pâté, ensuite de l'oeuf poché et enfin de la sauce. Servir chaud.

Oeufs farcis aux champignons

4 oeufs
120 g de champignons
20 g de persil
60 g de beurre
sel, poivre
4 dl de sauce blanche
60 g de gruyère râpé

Cuire les oeufs durs.
Nettoyer les champignons et les hacher très fin. Hacher menu le persil nettoyé.
Peler l'oeuf, le couper en deux dans le sens de la longueur et en retirer le jaune.
Dans un bol écraser le jaune avec le beurre et incorporer les champignons et le persil. Poivrer, saler et farcir les demi-blancs d'oeufs avec cette préparation.
Les déposer l'un près de l'autre dans un plat qui va au four, napper de sauce blanche, parsemer de fromage râpé et laisser gratiner 8 mn dans un four moyen et puis encore 3-4 mn dans le four très chaud. Servir immédiatement.

Soupe à la queue de boeuf, recette p. 36

Pour rester mince

Potage au chou-fleur et aux oignons

*1/4 kg de chou-fleur
(env. 1/2 chou moyen)
2 oignons moyens
1 c.à d. d'huile
1 tablette de bouillon de
poule
sel et poivre
1/2 c.à c. de noix de
muscade râpée
6 c.à s. de lait en poudre
écrémé
persil haché
eau*

Laver le chou-fleur, le diviser en petits bouquets et couper les tiges. Peler et émincer finement les oignons.

Mettre l'huile dans une grande casserole, ajouter l'oignon et laisser dorer pendant 2 à 3 mn. Verser 250 ml d'eau dans la casserole, assaisonner d'une tablette de bouillon de poule, d'1/2 c.à c. de sel, de poivre et de noix de muscade. Amener à ébullition en remuant; incorporer le chou-fleur et laisser cuire pendant 20 à 25 mn jusqu'à ce qu'il soit bien tendre.

Passer ou mixer le potage, rincer la casserole et le remettre dans celle-ci.

Délayer le lait en poudre dans de l'eau jusqu'à obtention de 400 ml de liquide, le verser dans la casserole.

Porter lentement à ébullition. Goûter et éventuellement rectifier l'assaisonnement. Servir immédiatement parsemé de persil haché.

Salade d'orange et de pamplemousse à la menthe

*2 pamplemousses
1 grosse orange
4 c.à d. de menthe fraîche hachée
quelques feuilles de
menthe*

Couper chaque pamplemousse horizontalement en deux; détacher les morceaux de fruits avec un couteau effilé. Mettre les fruits dans un compotier et garder les demi-pamplemousses évidés. Enlever les pépins des fruits avec des ciseaux.

Peler l'orange et enlever la pellicule blanche qui enveloppe le fruit. Couper l'orange en tranches en la maintenant au-dessus du compotier pour recueillir le jus. Ajouter les morceaux d'orange au pamplemousse de même que la menthe hachée. Mettre au moins 1 h. au réfrigérateur.

Remplir ensuite les demi-pamplemousses du mélange et servir garni d'une feuille de menthe.

Toasts aux champignons et au bacon

*250 g de champignons
de Paris
4 tranches de bacon ou
de lard fumé
4 tranches de pain de
régime
1 c.à s. de jus de citron
1 c.à d. de persil haché
1 c.à c. de sel*

Laver les champignons, en couper les pieds sablonneux et les trancher en deux.

Couper la couenne et le gras du bacon ou du lard et les laisser en attente. Aplatir les tranches avec le dos d'un couteau et les couper en deux. Former un rouleau assez lâche avec chaque demi-tranche. Griller le pain et le bacon sur un gril chaud. Retourner l'un et l'autre afin que les deux côtés soient bien grillés. Garder au chaud.

poivre
25 g de margarine de régime
cresson de fontaine
2 grosses tomates

Mettre la couenne et le gras du bacon dans une poêle, laisser fondre doucement jusqu'à ce que le fond de la poêle soit recouvert d'une fine pellicule de graisse. Enlever la couenne et le gras de la poêle. Ajouter le jus de citron, les champignons, le persil, le sel et un peu de poivre dans celle-ci. Couvrir et laisser la cuisson se poursuivre pendant 3 à 4 mn. Remuer de temps en temps les ingrédients. Enlever les champignons de la poêle et les garder au chaud. Faire réduire le jus de cuisson jusqu'à ce qu'il n'en reste qu'une bonne c.à s. Remettre les champignons dans la poêle et les réchauffer pendant env 1 mn.

Etendre la margarine de régime sur les toasts. Disposer les champignons sur les toasts et déposer les tranches de bacon au-dessus de ceux-ci. Arroser avec le jus de cuisson des champignons. Servir immédiatement avec une garniture de cresson et de quartiers de tomates.

Entrée de crudités

5 cm de concombre
1 tige de céleri blanc
1 grosse tomate
50 g de chou blanc finement haché
1 c.à s. de vinaigre de vin
1 pincée de sel et de poivre noir
8 branches de cresson

Couper le concombre en fines tranches. Laver le céleri et le couper en cubes. Hacher la tomate en morceaux.

Mettre le vinaigre de vin, le sel et le poivre moulu dans un saladier. Ajouter les légumes préparés et le chou blanc haché et mélanger. Garnir le tout avec le cresson. Servir cette salade en entrée avec une sauce de basses calories, ou présentée sur de la salade pommée.

Remarque: toutes les combinaisons de légumes, comme du poivron rouge ou vert finement haché, des carottes râpées, des pois cuits sont permises.

Potage aux champignons

1 petit oignon
250 g de champignons de Paris
1 tablette de bouillon de poule
1/2 c.à c. de fines herbes séchées
1 petite c.à d. de persil haché
25 g de lait en poudre écrémé
sel et poivre
1/2 l d'eau

Peler et émincer finement l'oignon. Laver les champignons, en laisser 6 en attente et découper les autres en tranches.

Mettre l'oignon, les champignons émincés, la tablette de bouillon, 1 c.à c. de persil haché, les fines herbes et 1/2 l d'eau dans une casserole moyenne. Porter à ébullition, baisser la source de chaleur, couvrir la casserole et laisser la cuisson se poursuivre pendant env. 20 mn. Remuer de temps à autre. Laisser refroidir.

Ajouter le lait en poudre et mixer le potage. Rincer la casserole, et remettre le potage mixé dans celle-ci.

Emincer finement les champignons laissés en attente. Les incorporer dans le potage et porter à l'ébullition en tournant. Laisser bouillir 2 mn. puis enlever la casserole du feu. Goûter et rectifier l'assaisonnement si nécessaire. Garnir du reste du persil haché avant de servir.

Potage au poivron rouge

1 petit chou-fleur
1 poivron rouge moyen
1 petit oignon
2 tablettes de bouillon de poule
1 c.à c. de moutarde

Laver le chou-fleur, le partager en petits bouquets, couper les queues et les petites feuilles. Le mettre dans une grande casserole. Couper le poivron en deux dans le sens de la longueur, enlever les pépins, les membranes intérieures et le pédoncule, et le tailler en fines lanières. Peler et émincer l'oignon.

sel et poivre
1 l d'eau

Mettre l'oignon, les tablettes de bouillon, la moutarde, et la moitié des lanières de poivron dans la casserole. Ajouter 1 l d'eau. Amener à ébullition en remuant, couvrir la casserole et laisser frémir pendant 25 à 30 mn jusqu'à ce que le chou-fleur soit bien cuit.

Mixer le potage dans un récipient adéquat, rincer la casserole, et remettre le potage mixé dans la casserole.

Introduire le reste du poivron coupé en lanières dans le potage. Amener à ébullition en tournant. Quand le potage bout, le retirer du feu. Goûter et rectifier éventuellement l'assaisonnement. Servir très chaud.

Crème de cresson

1 oignon moyen
1 grosse botte de cresson de fontaine
2 tablettes de bouillon de poule
1 macis
1/2 c.à c. de basilic séché
4 c.à s. de lait en poudre écrémé
sel et poivre noir
3/4 l d'eau

Peler et émincer l'oignon.

Laver le cresson et écarter les feuilles abîmées; garder quelques branches pour la garniture, et hacher le reste menu. Mettre l'oignon, le cresson, les tablettes de bouillon, le macis et le basilic dans une casserole de taille moyenne. Ajouter 3/4 de l d'eau. Amener à ébullition, couvrir la casserole et laisser frémir env. 20 mn en tournant de temps en temps dans la préparation. Laisser refroidir lentement.

Mixer le potage dans un récipient adéquat dans lequel le lait en poudre aura été versé. Prolonger l'opération jusqu'à ce que le mélange soit bien lisse.

Rincer la casserole. Verser le potage à nouveau dans la casserole et le réchauffer à feu doux. Goûter et éventuellement rectifier l'assaisonnement. Servir chaud, garni de quelques branches de cresson gardées à cet usage.

Soufflé au fromage blanc

4 oeufs
100 g de jambon cuit
200 g de fromage blanc
1 c.à c. de sel
poivre noir
1 boîte de haricots verts surgelés (330 g)

Préchauffer le four à 190 °C (indice 5), graisser légèrement 4 ramequins individuels pouvant aller au four.

Séparer les blancs des jaunes d'oeufs. Placer les blancs dans un bol très propre, et les jaunes dans un autre ravier. Hacher le jambon. Ajouter le fromage, le jambon et bien mélanger tous ces ingrédients. Battre les blancs d'oeufs jusqu'à ce qu'ils soient fermes mais pas durs. Introduire les blancs d'oeufs battus en neige dans le mélange précédent à l'aide d'une cuillère métallique. Partager cette préparation en 4 parts et la verser dans les ramequins.

Placer les ramequins au centre du four pendant 15 mn jusqu'à ce que les soufflés soient bien montés et dorés. Entre-temps préparer les haricots coupés en suivant le mode d'emploi consigné sur l'emballage.

Servir les soufflés accompagnés de haricots coupés.

Tomates farcies surprise

2 tranches de lard fumé
4 grosses tomates
25 g d'Edam
100 g de fromage blanc

Enlever la couenne et les cartilages du lard fumé et le découper en lardons. Les faire frire jusqu'à ce qu'ils soient croustillants, les éponger au papier absorbant et les laisser en attente.

Soupe Minuit, recette p. 26

quelques raisins sans pépins (facultatif)
1 c.à d. de persil haché
1/2 c.à c. de sel
poivre noir
2 feuilles de laitue romaine
persil
céleri émincé

Détacher le sommet de chaque tomate et les garder comme ''couvercles''. Creuser les tomates avec une c.à c. et les mettre à égoutter. Ecarter le jus et les pépins et hacher la pulpe.

Râper finement l'Edam. Déposer le lard, la pulpe de tomate, les 2 sortes de fromage, les raisins, le persil, le sel, et un peu de poivre dans un compotier. Bien mélanger tous les ingrédients.

Remplir les tomates creuses de cette farce, et recouvrir l'ouverture d'un couvercle.

Placer les deux feuilles de laitue sur un plat de service ovale de manière à former une barquette. Disposer les tomates en ligne sur les feuilles de laitue, et placer entre chacune d'elles un petit bouquet de persil. Garnir le contour du plat de céleri émincé. Accompagner de toasts de pain de régime, de petits pains de régime ou de tranches de pain croustillant et éventuellement de margarine de régime.

N.B. Cette recette peut également servir de plat principal, mais dans ce cas, doubler les proportions et servir deux tomates par personne.

Gratin au thon

3 oeufs
3 tranches de pain de régime
100 g d'Edam
4 tomates
3 c.à s. de lait en poudre écrémé
400 ml d'eau
3 c.à s. de farine
1 boîte de 200 g de filets de thon
1 c.à d. de jus de citron
1 c.à d. de persil haché
sel et poivre

Faire cuire des oeufs durs pendant 10 mn les mettre à refroidir dans de l'eau froide, après avoir craqué les coquilles. Ecaler les oeufs, les essuyer avec du papier absorbant et les couper en quatre.

Enlever les croûtes du pain et le découper en petits carrés.

Râper le fromage. Plonger deux tomates dans un bol d'eau bouillante, les y laisser 1 mn puis les retirer, les sécher, les peler et les couper en quartiers.

Délayer le lait en poudre dans 400 ml d'eau.

Mettre la farine dans un poêlon; ajouter peu à peu le lait, porter à ébullition en tournant constamment. Laisser la cuisson se prolonger pendant 2 ou 3 mn et retirer la sauce de la source de chaleur.

Retirer l'huile de la boîte de thon. Ecraser le thon à la fourchette. L'ajouter à la sauce ainsi que la moitié du fromage, les oeufs, les quartiers de tomates, le jus de citron et le persil. Goûter et relever de sel et de poivre.

Faire chauffer le gril à température moyenne. Verser le mélange dans un plat à gratin. Disposer les carrés de pain sur la préparation à base de poisson et saupoudrer avec le reste du fromage. Couper les deux tomates restantes en tranches et chaque tranche en deux. Disposer ces demi-tranches au bord du plat à gratin.

Introduire le plat à gratin sous le gril et l'y laisser jusqu'à ce qu'une jolie croûte dorée s'y soit formée.

Pâté de maquereau

1 grande boîte de maquereau (425 g)
4 tranches de pain croustillant de régime
1 petite carotte
1 petit oignon
un morceau de 2 cm de concombre
1 c.à d. de jus de citron
1 c.à c. de sel

Bien égoutter le maquereau et le verser dans un ravier. Enlever les arêtes et écraser le poisson. Placer les pains croustillants entre deux feuilles de papier parcheminé et les écraser au rouleau à pâtisserie. Eplucher et râper la carotte; peler l'oignon et l'émincer finement, conserver 1 c.à d. d'oignon émincé; couper le concombre en fines tranches. Ajouter la carotte râpée et l'oignon, le jus de citron, le sel et le poivre, la mayonnaise de régime et la chapelure de pain croustillant dans le ravier qui contient déjà le maquereau. Mélanger et écra-

1/2 c.à c. de poivre
4 c.à s. de mayonnaise de
régime
1 tomate
persil

ser tous les ingrédients à la fourchette jusqu'à ce que le mélange soit bien lisse, puis incorporer les rondelles de concombre.

Verser cette préparation dans un plat de service ou dans 4 ramequins individuels. Couper la tomate en 8 et garnir le ou les plats de morceaux de tomates et de bouquets de persil. Accompagner de pain croustillant ou de branches de céleri et de salade de carottes.

Toasts pour le petit déjeuner

6 tranches de bacon
maigre
250 g de hareng frais
ou en conserve
1 tomate
4 tranches de pain de
régime
margarine de régime
sel et poivre

Faire chauffer le gril à température modérée. Enlever la couenne et le cartilage du bacon, le découper en petits morceaux. Nettoyer les harengs ou les faire égoutter s'ils sont conservés. Couper la tomate en quatre.

Faire frire le bacon pendant 2 à 3 minutes. Ajouter les harengs dans la poêle et les laisser dorer.

Griller les tranches de pain et les tartiner de margarine de régime. Saler et poivrer le bacon et les harengs. Garnir les toasts du mélange bacon-hareng et d'un quartier de tomate.

Potage glacé au concombre

1 petit oignon
1/2 concombre moyen
(env. 150 g)
1 c.à d. d'huile
1/2 c.à c. de basilic séché
sel de céleri
1 tablette de bouillon de
poule
250 ml d'eau bouillante
1/2 petite feuille de lau-
rier
1 c.à d. de Worchester-
shiresauce
sel et poivre
1 boîte de 540 ml de jus
de tomates

Peler et hacher finement l'oignon. Couper le concombre en fines tranches.

Chauffer l'huile dans une casserole de taille moyenne. Ajouter l'oignon, les tranches de concombre, le basilic et une pincée de sel de céleri. Frire à feu doux, en remuant, pendant 2 mn.

Dissoudre la tablette de bouillon dans l'eau bouillante; verser dans la casserole et y ajouter encore le laurier, la Worchestershire sauce, 1/4 d'1 c.à c. de sel et un peu de poivre. Porter à ébullition en remuant, laisser mijoter pendant 5 mn. Laisser refroidir, mettre le jus de tomates à rafraîchir.

Verser le potage dans une soupière préalablement glacée. Ajouter le jus de tomates, retirer la feuille de laurier. Goûter et rectifier l'assaisonnement si nécessaire. Mettre au frigo jusqu'au moment de servir. Avant de mettre la soupière à table, éponger les traces d'huile au papier absorbant.

Amuse-gueules aux poireaux

4 poireaux
4 tranches de jambon
d'épaule
4 tranches de fromage
sans croûte

Retirer les tiges, le sommet et les feuilles extérieures trop dures des poireaux. Les couper en leur milieu dans le sens de la longueur, les laver et en retirer toute la terre. Les cuire dans de l'eau salée durant 10 à 12 mn. Ils doivent devenir bien tendres. Les retirer. Mettre le gril à température moyenne.

Enrouler chaque poireau dans une tranche de jambon. Les poser dans un plat profond qui va au four.

Couper les tranches de fromage en triangles et déposer deux triangles sur chaque tige de poireau.

Laisser sur le gril jusqu'à ce que le fromage soit fondu et doré. Servir chaud.

Toasts aux oeufs et au poisson

*100 g de morue fumée
ou de filets de harengs
4 tranches de pain de
régime
4 tomates
4 oeufs
100 g de fromage blanc
1 c.à s. de lait
sel et poivre
quelques branches de
persil*

Faire chauffer le gril à température modérée.
Laver le poisson, le mettre dans une casserole avec un peu d'eau. Amener à ébullition, réduire la source de chaleur et laisser mijoter pendant env. 5 mn jusqu'à ce que le poisson soit bien tendre. Egoutter le poisson, enlever les arêtes et la peau et émietter la chair.
Faire griller les tranches de pain et les tomates. Retourner le pain afin qu'il soit bien grillé des deux côtés.
Mettre les oeufs, le fromage blanc, le lait, un peu de sel et de poivre dans un ravier. Battre les ingrédients à la fourchette, verser le mélange dans une casserole et brouiller les oeufs à feu modéré. Incorporer le poisson, continuer à remuer la préparation et laisser la cuisson se poursuivre doucement à feu modéré pendant env. 1 mn.
Recouvrir les tranches de pain grillé du mélange oeufs-poisson, garnir les toasts d'une branche de persil et accompagner de tomates grillées.

Barquettes de melon

*1 melon bien sucré
1 petite orange
gingembre*

Couper le melon en deux, enlever les pépins avec une cuillère. Couvrir chaque moitié d'une feuille de papier cellophane adhésive et les placer au frigo jusqu'à environ 10 mn avant l'heure du repas.
Ensuite découper chaque demi-melon en trois morceaux triangulaires, détacher la peau du fruit avec un couteau tranchant, et couper encore chaque triangle en 5 ou 6 morceaux. Remettre ceux-ci dans les triangles de peau.
Nettoyer soigneusement l'orange et la couper en 6 tranches minces. Pratiquer une entaille de l'écorce vers le centre de chaque tranche, tordre celles-ci de façon à obtenir un S, renforcer la torsion à l'aide d'un cure-dent, et décorer chaque triangle de melon d'une tranche d'orange. Accompagner de gingembre, et si vous n'êtes pas au régime de sucre en poudre.

Potage clair aux légumes

*100 g de carottes
1 oignon moyen
3 branches de céleri
100 g de chou
2 tomates
2 tablettes de bouillon
de poule
sel et poivre*

Nettoyer les carottes, les découper en bâtonnets. Eplucher et émincer finement l'oignon. Laver le céleri et le découper en fines rondelles. Laver et émincer le chou.
Tremper les tomates pendant 1 mn dans de l'eau bouillante, les égoutter et les peler. Couper les tomates en deux, les débarrasser des pépins et en hacher la chair.
Déposer les tablettes de bouillon dans une casserole, ajouter 1 litre d'eau et les carottes. Porter à ébullition, couvrir la casserole et laisser mijoter le tout pendant 5 mn. Incorporer les oignons et le céleri, laisser la cuisson se poursuivre pendant 10 mn. Introduire le chou

Bouchées à la reine, recette p. 45

dans le potage, laisser cuire 5 nouvelles minutes. Ajouter les tomates hachées. Goûter et assaisonner à volonté de sel et de poivre. Servir chaud.

Oeufs au four garnis de jambon

100 g de jambon cuit ou
de bacon maigre
4 oeufs
4 c.à s. de lait
sel et poivre
paprika

Préchauffer le four à température modérée, 190 °C ou indice 5.
Découper le jambon ou le bacon en fines lanières, en tapisser les bords de 4 petits ramequins individuels pouvant aller au four.
Casser un oeuf dans chaque ramequin, verser 1 c.à s. de lait pardessus et assaisonner de poivre et de sel.
Disposer les ramequins sur une plaque de cuisson dans le haut du four et laisser la cuisson se poursuivre pendant 13 à 15 mn d'après le degré de cuisson désiré pour les oeufs. Saupoudrer de paprika. Servir chaud.

Sandwiches ''petits jardins''

1 petite boîte de saumon
rose (99 g)
mayonnaise ou vinai-
grette de régime
jus de citron
sel et poivre
1 oeuf cuit dur
4 cornichons
2 tomates moyennes
5 cm de concombre
8 tranches de pain
croustillant de régime
margarine de régime
cresson de fontaine
laitue
50 g d'Edam râpé
4 olives farcies

Retirer l'eau de conservation de la boîte de saumon; mettre le saumon dans un ravier et enlever peaux et arêtes. Ajouter 2 petites c.à s. de mayonnaise de régime, 1 c.à c. de jus de citron, une pincée de sel et de poivre. Mélanger bien tous les ingrédients.
Découper l'oeuf dur en 8 tranches, les cornichons en éventail, les tomates en six quartiers et 6 fines tranches de concombre.
Etendre une mince couche de margarine de régime sur les tranches de pain croustillant. Partager le saumon en quatre parties égales et le disposer sur le pain. Garnir d'une tranche d'oeuf dur. Entailler quatre tranches de concombre jusqu'à leur centre et les tordre. En placer une à côté de chaque rondelle d'oeuf. Décorer encore de 2 quartiers de tomates séparés par une demi-tranche de concombre et d'un peu de cresson de fontaine.
Découper ce qui reste de concombre, d'oeuf et de tomate en fines lamelles. Les mettre dans un ravier additionnés d'une petite c.à d. (10 ml) de mayonnaise de régime, de quelques gouttes de jus de citron, d'une pincée de sel et de poivre. Mélanger bien ces divers ingrédients.
Poser une feuille de laitue sur les 4 tranches de pain croustillant restantes. Garnir une des extrémités de la tranche d'un petit tas de fromage râpé, et l'autre de la préparation à base d'oeufs. Décorer d'un éventail de cornichon, de tranches d'olives farcies et de cresson de fontaine.
Disposer les tranches de pain sur un plateau ou un plat en bois.

Pamplemousses surprise

2 pamplemousses
100 g de viande fumée
1 pomme sucrée
3 c.à s. d'huile
1/2 c.à s. de vinaigre

Couper la viande très finement.
Préparer une sauce avec l'huile, le vinaigre, la moutarde et le sherry.
Couper les pamplemousses en deux, en retirer la chair.
Découper la pomme.

1 c.à c. de moutarde
1 c.à c. de sherry
8 noix

Mélanger la chair des pamplemousses, la pomme et la viande et mettre le tout dans les parties de pamplemousses vides.
Partager la sauce sur le contenu des pamplemousses et garnir des noix.

Cocktail de fromage blanc aux crevettes

150 g de crevettes épluchées
4 branches de persil
7 c.à s. de fromage blanc
1 c.à s. de cognac
1/2 c.à s. de whisky
sel, poivre
1 pomme aigre-douce
1/8 de crème fouettée

Rincer les crevettes dans une passoire sous un jet d'eau froide. Laisser égoutter.
Dans un bol, hacher le persil menu.
Fouetter le fromage, le cognac, le whisky, le sel et le poivre dans un plat.
Râper la pomme épluchée sur le fromage.
Dans un autre bol battre fermement la crème fouettée.
Incorporer les crevettes, le persil et la crème fouettée dans le fromage. Donner du goût avec quelques gouttes de citron.
Répartir cette préparation dans quatre verres et décorer avec le persil.

Soupe de carotte

1/2 oignon
1 carotte
1 poireau
1 céleri-rave
1 l d'eau
2 tablettes de bouillon
poivre

Peler et hacher l'oignon. Gratter la carotte et la découper en bâtonnets. Couper le poireau en rondelles. Eplucher le céleri, le laver et le couper.
Porter l'eau avec les tablettes de bouillon à ébullition. Ajouter les légumes et cuire 20 mn. Poivrer.

Omelette campagnarde

4 branches de céleri blanc
4 tomates
16 champignons
30 g de beurre
8 oeufs
sel, poivre

Laver et hacher le céleri, couper les tomates, laver les champignons et les couper en petites rondelles.
Faire fondre le beurre dans une casserole, ajouter les légumes et cuire à l'étouffée 2 minutes.
Fouetter les oeufs avec le sel, le poivre, les jeter sur les légumes. Laisser le tout prendre 2-3 mn.
Servir l'omelette sur une assiette chaude.

Soupe de poisson à l'aneth

150 g de filets de cabillaud
200 g de légumes pour soupe
4 c.à s. de vin blanc
sel, poivre
1 petit sachet de sauce d'aneth
1 c.à s. de ciboulette finement hachée

Placer dans une casserole le poisson coupé en morceaux avec les légumes, 3/4 de l d'eau, le vin, le sel et le poivre. Cuire 12 mn.
Dans une casserole en fer préparer la sauce à l'aneth selon les indications et incorporer à la soupe. Saler et poivrer. Parsemer de ciboulette.

Concombre farci à la carotte

1 concombre
1 c.à c. d'Aromat
1 carotte
1 c.à s. de jus de citron

Laver le concombre et le couper en 12 morceaux. Le vider. Remplir l'intérieur d'Aromat.
Laver la carotte, la gratter et la râper. Ajouter le citron.
Placer le concombre sur un plat et le remplir avec la carotte râpée.

Gratin de jambon au céleri

2 branches de céleri
1 c.à c. de sel
25 g de cheddar
4 tranches de jambon cuit
moutarde
4 c.à s. de lait en poudre écrémé
1 oeuf
1 jaune d'oeuf
poivre
persil
quartiers de tomates

Préchauffer le four à 180 °C, indice 4. Verser 1 cm d'eau dans un grand plat à rôtir allongé.
Découper 8 tronçons de céleri d'env. 3 cm de long, et émincer le reste finement. Mettre le céleri dans une petite casserole avec 250 ml d'eau salée. Porter à ébullition, couvrir et laisser frémir pendant 5 mn. Egoutter les légumes mais conserver l'eau de cuisson. Râper le fromage.
Couper les tranches de jambon en deux dans le sens de la longueur. Couvrir chaque languette de jambon d'une fine couche de moutarde sur l'une de ses faces. Déposer un morceau de céleri de 3 cm sur chaque face moutardée. Former un petit rouleau. Disposer les rouleaux dans une forme à tarte en terre cuite ou en porcelaine à feu. Délayer le lait en poudre dans env. 250 ml de jus de cuisson de céleri. Battre l'oeuf et le jaune d'oeuf ensemble, les incorporer dans le lait avec une pointe de poivre et bien mélanger ces ingrédients. Verser cette préparation sur les rouleaux jambon-céleri. Parsemer du reste de céleri et de fromage râpé.
Déposer la forme à tarte dans le plat à rôtir et placer celui-ci au milieu du four pendant 25 à 30 mn., le temps que la préparation épaississe. Retirer la forme à tarte du plat. Garnir de persil haché.
Terminer la garniture avec un bouquet de persil et des quartiers de tomates. Servir chaud ou froid, accompagné de haricots verts, de branches de céleri étuvées ou de salade verte.
Ce plat peut se préparer la veille du jour où il sera servi. Le recouvrir d'une feuille aluminium ou d'un film transparent et le conserver au frigo. Il peut éventuellement être réchauffé le lendemain.

Salade de poivrons

2 poivrons rouges
4 oeufs
4 tomates
8 c. à s. de fromage blanc maigre
poivre, sel, une pointe de moutarde

Laver les poivrons, les couper en deux, écarter les pépins et les membranes et les couper en fines lanières.
Cuire les oeufs durs, les laisser refroidir et les écaler.
Préparer une sauce avec les jaunes d'oeufs, le fromage blanc, la moutarde, le poivre et le sel. La verser sur les lanières de poivron. Garnir avec des rondelles de tomate et du blanc d'oeuf haché.

Omelette aux asperges

4 oeufs

Battre les oeufs avec le lait, saler, poivrer le mélange. Faire chauffer

Omelette de crevettes et champignons, recette p. 58

25 g de beurre
4 c. à s. de lait entier
poivre, sel
1 boîte d'asperges
persil

le beurre dans une poêle et y cuire l'omelette.
Réchauffer les asperges dans leur jus et les égoutter.
Faire glisser l'omelette sur un plat, répartir les asperges sur celle-ci et la refermer. Garnir abondamment de persil haché.

Salade variée

300 g de rôti de veau
maigre
4 tomates
2 petits poivrons verts
2 petites pommes
1 oignon
8 c. à c. d'huile
1 trait de vinaigre
poivre et sel
une pincée de paprika

Découper le veau, les tomates et les oignons en dés, les poivrons et les pommes en lanières.
Préparer une marinade avec l'huile, le vinaigre et les épices et en arroser la salade.

Jambon au céleri

4 épaisses tranches de
jambon cuit maigre (400
g)
4 pied de céleri (en
conserve)
paprika
4 tranches de pain
complet, tartinées de
margarine

Egoutter les pieds de céleri. Garnir le pain tapissé de margarine avec le jambon et y répartir le céleri découpé en petits morceaux. Parsemer de paprika.

Salade de poisson

600 g de filet de cabillaud
cuit
4 c. à s. de mayonnaise
de régime
4 c. à s. de lait écrémé
4 c. à s. de yaourt maigre
4 c. à s. d'oignon haché
4 c. à s. de persil haché
quelques feuilles de laitue

Couper le poisson cuit en petits morceaux. Préparer une sauce avec tous les autres ingrédients et en arroser le poisson.
Présenter le poisson sur un lit de feuilles de laitue.

Cocktail de crevettes

200 g de crevette
épluchées
12 quartiers de
pamplemousse
8 c. à s. de yaourt maigre
4 c. à s. de ketchup
poivre, sel
persil haché
quelques feuilles de laitue

Tapisser le fond d'un ravier en verre de feuilles de laitue fraîchement lavées. Les parsemer de crevettes et des quartiers de pamplemousse coupés en petits morceaux.
Préparer une sauce avec le yaourt et le ketchup. La relever de sel et de poivre. Verser cette sauce sur les crevettes et parsemer le tout d'un peu de persil haché.

Table des matières

Index